優しいベビーニット

CONTENTS

4 　ようこそ、私たちの家族に！

10 　あったかニットで、すくすく元気。

14 　はじめての一歩、できたかな？

20 　寒さなんて、へいきだね。

24 　ちっちゃなスタイリストかな！

28 　愛情ニットで、大きくなーれ。

34 　この本で使用した糸の一覧

ようこそ、私たちの家族に！

どれだけこの日を待ちどうしく思ったことか…。

はじめて逢ったときのあなたは、

こわれそうなほどちいちゃくて、たまらなく愛らしかったですね。

うさぎのマスコット／セレク（フーセンウサギ）

カバーオール／セレクベビー（フーセンウサギ）

baby dress

1 ベビードレス

生まれたての赤ちゃんは、おとなが思うよりずっと小さく、まだ自分で体温調節ができません。
ベビーウェアは、赤ちゃんのしぜんな脚の形に合い、運動を妨げないよう、身幅や、裾幅にゆとりがあるドレス型がよいでしょう。
一緒に帽子、くつ下、手袋も揃えました。
0～6ヵ月　デザイン／岡本啓子　製作／宮本寛子　糸／ハマナカ キューピッド　編み方／35ページ

カバーオール／セレクベビー（フーセンウサギ）
おくるみ／ボーンベイビーズ（カシュ・カシュ）

vest

2～4　胴着

胴着はおなかの部分が重なり、ひも結びでゆったりめの着物式になっています。
今は部屋の中が暖かいので、真冬でも何枚も重ね着させず、肌着＋厚手のベビー服で充分です。
それでも、寒いときや体温調節ができない赤ちゃんには1枚あるとずいぶん役立ちます。2は新生児用にコットンで編みました。
2／0～3ヵ月　3・4／0～6ヵ月　デザイン／辻 トモ子
糸／2＝ハマナカ かわいい赤ちゃん〈ピュアコットン〉　3・4＝ハマナカ キューピッド　編み方／2＝40ページ　3・4＝42ページ

カバーオール／プチボヌール（アンファン）　帽子／セレクベビー（フーセンウサギ）

afghan

5 おくるみ

80cm四方くらいの大きさは、使い勝手のいい万能サイズ。
お昼寝やお出かけのときにさっとかけたり、くるんだりできるのでとても便利なアイテムです。

0ヵ月〜　デザイン／岡本啓子　製作／小室喜久恵　糸／ハマナカ フォープライ　編み方／44ページ

おもちゃ／アンファン

sack coat & bonnet

6 サックコートと帽子

3〜4ヵ月頃になると首もすわり、赤ちゃんの好奇心もどんどん広がります。
ぽかぽか暖かい日にはお外につれていけば赤ちゃんも大喜びです。そんなとき、ベビー服にはおれるサックコートは重宝します。
3〜12ヵ月　デザイン／岡本啓子　製作／宮崎満子　糸／ハマナカ かわいい赤ちゃん　編み方／45ページ

カバーオール／セレクベビー（フーセンウサギ）

7

あったかニットで、すくすく元気。

生後半年を過ぎた頃から、毎日、毎日、目に見えて成長してきます。

今ではおすわり、ハイハイ、つかまり立ちもできるようになりました。もうそろそろ、ベビー服は卒業ですね。

vest & leggings

7・8 ベストとレギンス

秋から春先まで、とにかく1枚着せておけば安心で便利なベスト。
ウエストゴムのレギンスもセットで編んでおくと、スリーシーズン大活躍です。
6～12ヵ月　デザイン／辻 トモ子　糸／ハマナカ かわいい赤ちゃん　編み方／48ページ

8

ポロボディ／カチェテ（カシュ・カシュ）　靴／クキート（アンファン）

9

rompers & cardigan

9・10 ロンパースとカーディガン

動きが活発になってきたら、おなかをすっぽりおおえるロンパースが最適。
カーディガンもお揃いで編んでおくと便利です。
6～12ヵ月　デザイン／本間さき子　糸／ハマナカ かわいい赤ちゃん　編み方／52ページ

10

タートルボディ／カチェテ（カシュ・カシュ）

はじめての一歩、できたかな?

一歳のお誕生日を迎えた頃から、つたい歩きが上手になってきます。

ひとり歩きまで、あともう少しですね。

これからは一緒にお出かけをするのが楽しみです。

11

pullover
11・12　プルオーバー

メリヤス編みにストライプを入れただけの簡単な編み地です。
一人で歩けるようになったら、活動範囲がぐっと広がります。動きが楽なセーターは必需品。両肩あきにして着せやすくしました。
12ヵ月前後　デザイン／石塚始子　糸／ハマナカ かわいい赤ちゃん　編み方／56ページ

靴／ホプキンズ(マストプラニング)

12

タートルボディ／ベビーズオウン（モッキンバード トレーディング カンパニー）　パンツ／ボンボンブルー青山店

jumper skirt & bloomers

13・14　ジャンパースカートとブルマー

フリルがかわいらしい、透かし模様はかぎ針あみです。おなかが出なくて動きやすいジャンパースカートは女の子の定番スタイル。
おむつをつけたおしりがかわいいブルマーをセットで。着心地満点のコットンです。

13／12ヵ月　14／18ヵ月　デザイン／横山純子　糸／ハマナカ かわいい赤ちゃん〈ピュアコットン〉　編み方／58ページ

13

14

15

vest
15・16 ベスト

ぶらさがったボンボンがかわいくて着せやすいベスト。どんどん歩けるようになると、活動的なベストが最適です。
秋はこのままで、冬になったら上にジャケットを着せて、元気にお外へ出かけましょう。
15／12ヵ月　16／18ヵ月　デザイン／佐久間真理恵　糸／ハマナカ かわいい赤ちゃん　編み方／62ページ

カットソー　パンツ　靴／ハッカベビー　帽子／オリーブ・デ・オリーブ ドール（フーセンウサギ）

16

寒さなんて、へいきだね。

一歳をすぎると、お外が大好き。

どんなに寒くても一度はお外に出ていかないとはじまりません。

自由に走り回れるよう、ママお手製のニットでつつんであげたいですね。

poncho & cap

17　ポンチョと帽子

肩をすっぽりつつんでくれるポンチョと帽子で防寒支度はばっちりです。
簡単に編めるので、お友達にも編んであげましょう。

18〜24ヵ月　デザイン／辻トモ子　糸／ハマナカ かわいい赤ちゃん〈プチモール〉　編み方／64ページ

靴／ホブキンズ（マストプラニング）

mitten & pochette or mitten & cap

18・19　ミトンとポシェット、ミトンと帽子

女の子はミトンとポシェット、男の子はミトンと帽子にしました。
冬のコーディネイトはあったか小物できまりです。
18～24ヵ月　デザイン／河合真弓　製作／関谷幸子　糸／ハマナカ かわいい赤ちゃん　編み方／65ページ

18

19

jacket
20・21 ジャケット

ポコポコとドットがかわいい、かぎ針編みのフードつきジャケットです。
フードは前端と合わせて首元もしっかりガード。マフラーいらずの秋冬アイテムです。
20／12ヵ月　21／18ヵ月　デザイン／横山純子　糸／ハマナカ エクストラファイン〈スリム〉　編み方／66ページ

Tシャツ　チュニック／オリーブ・デ・オリーブ ドール（フーセンウサギ）　タイツ／ズッパ ディ ズッカ（ズッカ）　靴／ハッカベビー

シャツ　パンツ／ズッパ ディ ズッカ（ズッカ）　靴／ポプキンズ（マストラブラニング）

ちっちゃなスタイリストかな！

一歳半から二歳頃になると、少しずつ個性が出てきます。お洋服の色やデザインにも、
好き、嫌いがはっきりしてくる時期です。少しくらい大人っぽい配色でも、けっこう似合ってしまいます。

22

22・23 ベスト

2色の色彩がおしゃまなかぎ針編みベスト。前あきのベストは利用価値大！ボタンもポイントです。
ある程度大きくなっても着られるのが、うれしいですね。
22・23／18〜24ヵ月　デザイン／河合真弓　製作／米倉尚子　糸／ハマナカ キューピッド　編み方／70ページ

タートルボディ／ベビーズオウン（モッキンバード トレーディング カンパニー）　パンツ／ボンボン・ブルー青山店　うさぎのあみぐるみ／リボンハッカキッズ

23

24

cardigan
24・25 カーディガン

ラグランスリーブのジャンパー風カーディガン。
男の子はお袖をストライプに、女の子は身頃と袖のツートンカラーにしました。
24／18ヵ月　25／24ヵ月　デザイン／河合真弓　製作／小原良子　糸／ハマナカ フェアレディー50　編み方／72ページ

Tシャツ／ズッパ ディ ズッカ（ズッカ）　ショートオール／ナイキ ベビー＆トドラー（フーセンウサギ）　靴／ポプキンズ（マストプラニング）

愛情ニットで大きくなーれ。

二歳のお誕生日が近づいてくると、ますます子供っぽくなってきます。

デザインも個性を生かした、ちょっとおませな服を着せてあげたいですね。

男の子、女の子の差もだいぶでてきました。

靴／ホプキンズ（マストプラニング）

pants suit

26 パンツスーツ

元気な男の子にはジャケットとパンツのセットです。
前立ても一緒に編んでいるので仕上げは簡単。これからどこにお出かけしましょうか。
18ヵ月前後　デザイン／佐久間真理恵　糸／ハマナカ フェアレディー50　編み方／74ページ

one-piece dress & pochette

27　ワンピースとポシェット

胸にモチーフのお花がいっぱいのワンピースとポシェットのセットです。
女の子は小さいときから、かわいいお洋服が大好き。今日はレディーに変身です。

24ヵ月前後　デザイン／岡本啓子　製作／松原悦子　糸／ハマナカ プルマージュ　編み方／78ページ

靴／ホプキンズ（マストプラニング）

28

チュニック　パンツ／ズッパ ディ ズッカ／ズッカ

29

jacket & cap
28・29 ジャケットと帽子

雪の結晶がついているような糸で編んだケーブルのジャケットと帽子です。
衿はボタンをかければ、首にピッタリするのであったかです。女の子と男の子では帽子のデザインに変化をつけました。
24ヵ月前後　デザイン／横山純子　糸／ハマナカ かわいい赤ちゃん〈プチモール〉　編み方／80ページ

この本の作品に使用した糸の一覧

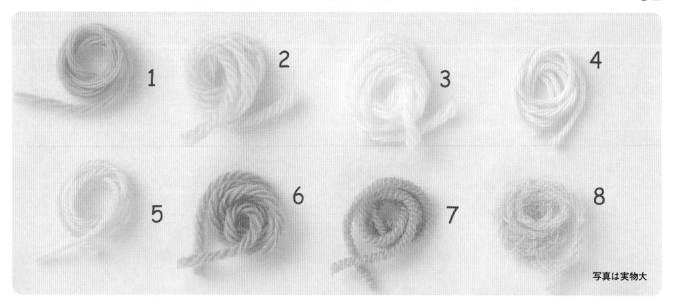

写真は実物大

	糸名	品質	色数	仕立	糸長	糸のタイプ	針の号数	標準メリヤスゲージ（長編み）	税込標準価格（）内は本体価格
1	ハマナカ キューピッド	毛100％（ヴァンテアン加工）	10	40g	約160m	中細タイプ	4号針	24目30段	546円（520円）
2	ハマナカ かわいい赤ちゃん	アクリル60％ 毛（メリノウール）40％	16	40g	約105m	並太タイプ	5〜6号針	20〜21目 25〜26段	483円（460円）
3	ハマナカ かわいい赤ちゃん〈プチモール〉	アクリル67％ 毛（メリノウール）30％ ナイロン3％	6	40g	約108m	並太タイプ	5〜6号針	20〜21目 25〜26段	609円（580円）
4	ハマナカ かわいい赤ちゃん〈ピュアコットン〉	綿（超長綿）100％	5	40g	約120m	中細タイプ	3/0〜4/0号針	長編み（25目10段）	515円（490円）
5	ハマナカ フォープライ	アクリル65％ 毛（メリノウール）35％	27	50g	約205m	中細タイプ	3/0号針	長編み（24目10.5段）	536円（510円）
6	ハマナカ フェアレディー50	毛70％ アクリル30％（防縮加工ウール使用）	55	40g	約100m	並太タイプ	5〜6号針	20〜21目 26〜27段	483円（460円）
7	ハマナカ エクストラファイン〈スリム〉	毛100％（エクストラファインメリノ使用）	20	40g	約142m	合太タイプ	4/0号針	長編み（24目13段）	609円（580円）
8	ハマナカ プルマージュ	毛（エクストラファインメリノ）67％ ナイロン33％	15	40g	約130m	並太タイプ	5〜6号針	23〜24目 30〜31段	651円（620円）

●糸のタイプは、あくまでも目安としての表示で、標準メリヤスゲージはメーカー表示のものです。
●標準価格は2005年6月10日現在のものです。
●使用糸に関するお問い合わせは、ハマナカ株式会社
　京都本社 TEL075-463-5151　東京支店 TEL03-3864-5151 までお願いします。

ハマナカアミアミ手あみ針

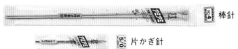

棒針

片かぎ針

34

1
4page

0〜6カ月

●用意するもの
糸…ハマナカ キューピッド(中細タイプ)
白(1) [ドレス230ｇ、帽子30ｇ、手袋・くつ下
各15ｇ]290ｇ＝8玉。
付属品…直径10mmのボタン6個。
針…棒針4号、3号、かぎ針3／0号、4／0号。

●出来上がり寸法
ドレス　胸囲61m、背肩幅23cm、丈54cm、袖
丈26.5cm、帽子　顔回り41cm、深さ12cm、
手袋　手首回り12cm、丈12cm、くつ下　はき
丈9cm、深さ9cm。

●ゲージ
10cm平方で模様編みＡ26.5目×43段、Ｂ26.5
目×37段、メリヤス編み27目×37段。

●編み方ポイント
ベビードレス　指でかける作り目をして裾の模様
編みＡから編み始め、Ｂにかえて102段まではまっすぐ
編みます。次に、右前・うしろ・左前に分け、袖ぐりの
減目をして各々を図のようにヨーク部分を続けて編み、
肩は休み目にします。袖は身頃と同様の作り目をし、
袖下は1目内側の渡り糸をねじって増し目、袖山は伏
せ目の減目にします。まとめ　肩は中表に合わせて
かぶせはぎ、袖下はすくいとじにします。裾は縁編み
Ａで始末し、衿ぐりは拾い目してガーター編みを3段編
み、裏から伏せ止めにします。衿・前立てを縁編みＢ、
Ｃで編み、袖を身頃に引き抜きとじでつけます。ヨーク
切り替え位置は裏目の段の渡り糸を拾って縁編みＢ'
を編みます。

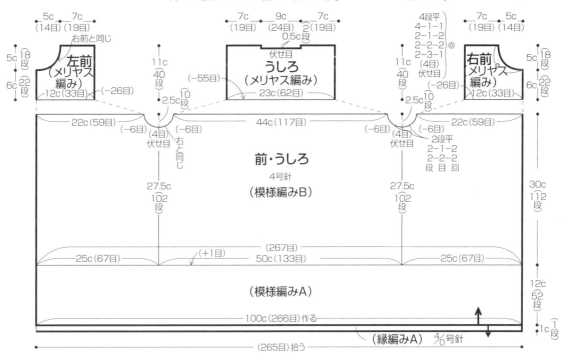

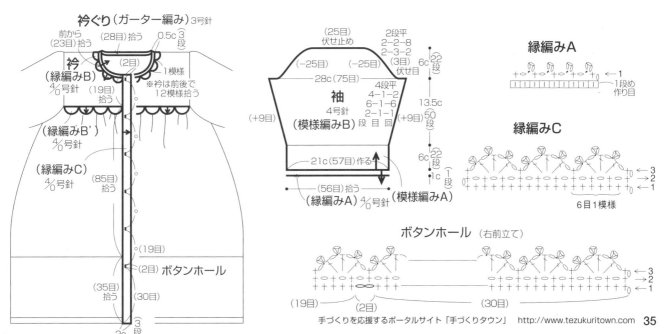

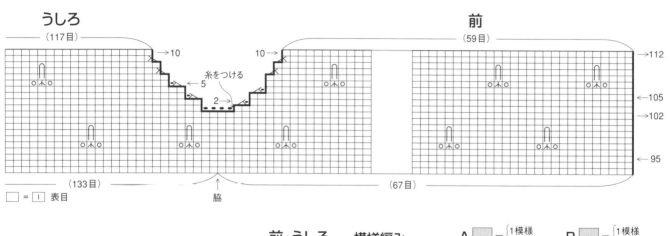

うしろ　(117目)　　　　前　(59目)

→10　　10→
→112

5　　糸をつける
←105

2→
→102
→95

(133目)　　　　(67目)

脇

□ = □ 表目

前・うしろ　　模様編み　　A □ = {1模様 {11目・10段　B □ = {1模様 {12目・20段

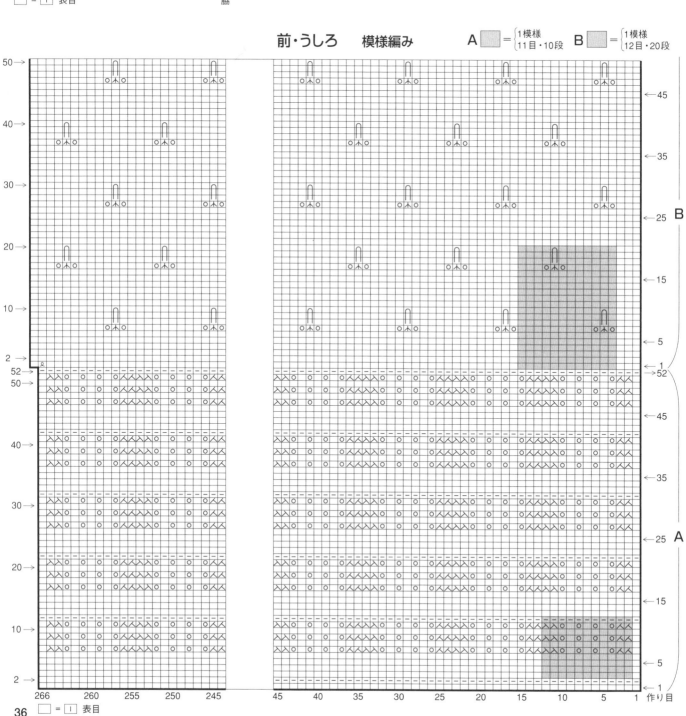

B

A

266　260　255　250　245　　45　40　35　30　25　20　15　10　5　1　作り目

36　□ = □ 表目

うしろ

□ = I 表目　　糸をつける　　● = 拾い目位置

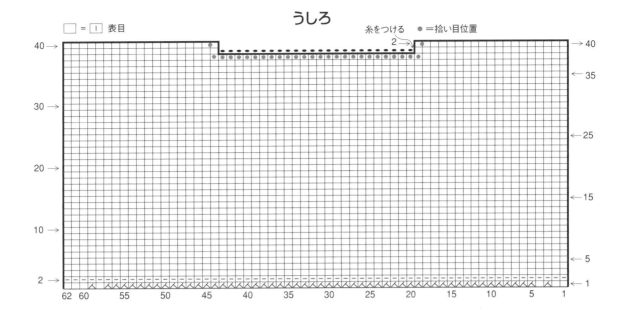

右前

● = 拾い目位置

衿ぐり

左前

● = 拾い目位置

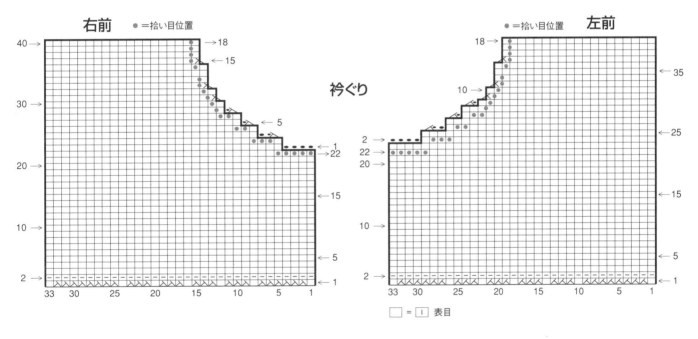

□ = I 表目

縁編みB

縁編みB'

衿ぐりの2段めの
渡り糸を拾う

6目1模様

裏目の段の渡り糸

8目1模様

糸をつける

縁編みC（帽子）

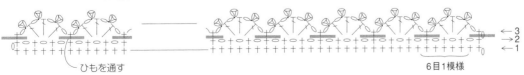

ひもを通す

6目1模様

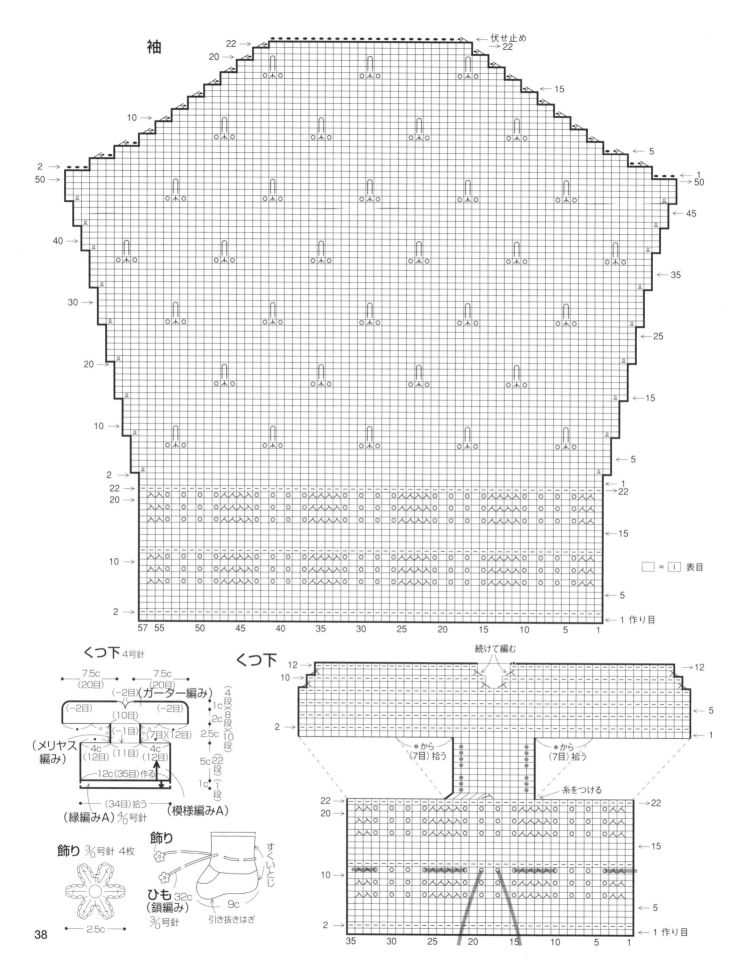

袖

22→
20→
10→
2→
50→
40→
30→
20→
10→
2→
22→
20→
10→
2→

伏せ止め
→22

→1
←15
←5
→1
50
←45
←35
←25
←15
←5
→1
22
←15
←5
←1 作り目

57 55   50   45   40   35   30   25   20   15   10   5   1

□ = |ı| 表目

くつ下 4号針

7.5c   7.5c
(20目)   (20目)
     (−2目)(ガーター編み)
(−2目)   (−2目)
        (10目)
        (−1目)
（メリヤス
編み）   4c   4c
       (12目)(11目)(12目)
      12c (35目)作る
    (34目)拾う
(縁編みA) 4/0号針   (模様編みA)

4
段
×8
段×
10
段
1c
2c
2.5c
5c 22段
1c (1段)
(模様編みA)

くつ下

続けて編む

12→
10→
2→

←12
←5
←1

●から
(7目)拾う
糸をつける
●から
(7目)拾う

22→
20→
10→
2→

←22
←15
←5
←1 作り目

35   30   25   20   15   10   5   1

飾り 3/0号針 4枚

飾り
ひも
(鎖編み)
3/0号針
32c
9c
引き抜きはぎ

すくいとじ

2.5c

38

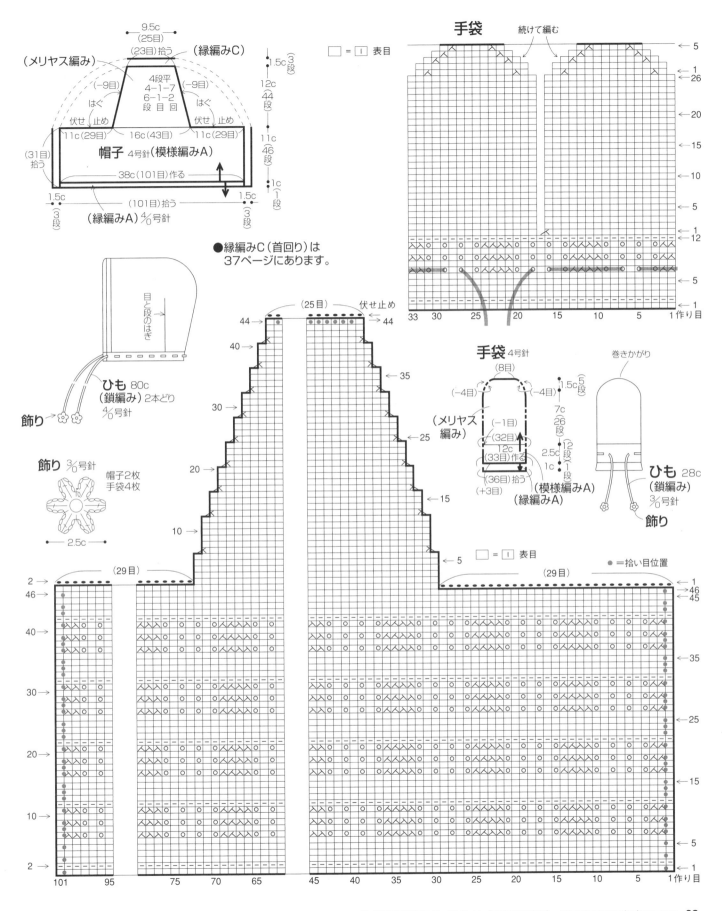

手袋　続けて編む

□ = ｜ 表目

（メリヤス編み）
（縁編みC）
9.5c（25目）
（23目）拾う
1.5c（3段）
12c（44段）
（-9目）　4段平　（-9目）
4-1-7
6-1-2
段目回
はぐ　はぐ
伏せ止め　伏せ止め
11c（29目）　16c（43目）　11c（29目）
11c（46段）
（31目）拾う
帽子　4号針（模様編みA）
（101目）拾う
38c（101目）作る
1c（1段）
（縁編みA）4/0号針
1.5c（3段）　1.5c（3段）

●縁編みC（首回り）は
37ページにあります。

目と段のはぎ
ひも 80c
（鎖編み）2本どり
4/0号針

飾り

飾り 3/0号針
帽子2枚
手袋4枚
2.5c

手袋 4号針
（8目）
（-4目）　（-4目）
（メリヤス編み）
（-1目）
（32目）
12c 26段
（33目）作る
（36目）拾う
（+3目）
（模様編みA）
（縁編みA）
1.5c（5段）
7c 26段
2.5c
1c（1段）

巻きかがり
ひも 28c
（鎖編み）
3/0号針
飾り

□ = ｜ 表目　● =拾い目位置

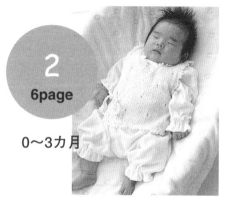

2

6page

0〜3カ月

●用意するもの
糸…ハマナカ かわいい赤ちゃん＜ピュアコットン＞（中細タイプ）
クリーム色(2)90ｇ＝3玉。
針…棒針4号、かぎ針4／0号。
●出来上がり寸法
胸囲52cm、背肩幅21cm、丈24cm。
●ゲージ
10cm平方で模様編み23目×32段。
●編み方ポイント
うしろ 鎖61目作り、鎖の裏山を拾って模様編み

で編みます。袖ぐりは伏せ目と端1目立てる減目にし、衿ぐりからは糸のある右肩から端1目立てる減目をして編みます。肩は休み目にします。中央21目は糸をつけて伏せ目にし、続けて左肩を同要領に編みます。
右前・左前 鎖45目作り、うしろと同様に拾って編み始めます。前衿ぐりは伏せ目と端1目立てる減目をし、袖ぐりはうしろと同様に減目をします。
まとめ 肩は中表に合わせてかぶせはぎ、脇はすくいとじにします。前立て、前・うしろの衿ぐりは先に細編み1段編み、2段め、3段めは裾と続けて編みます。
ひもは糸3本どり鎖編みをして20cm、18cmを各2本

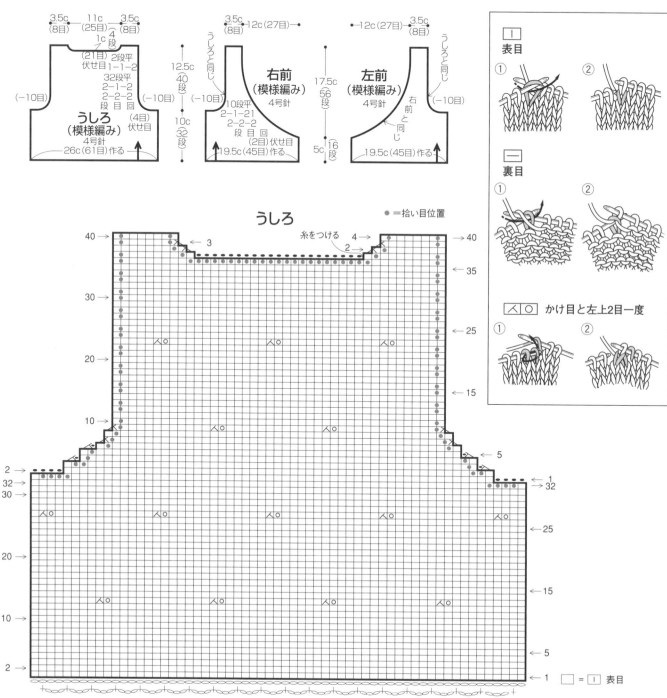

うしろ

● ＝拾い目位置

糸をつける

表目

裏目

かけ目と左上2目一度

□ ＝ □ 表目

40

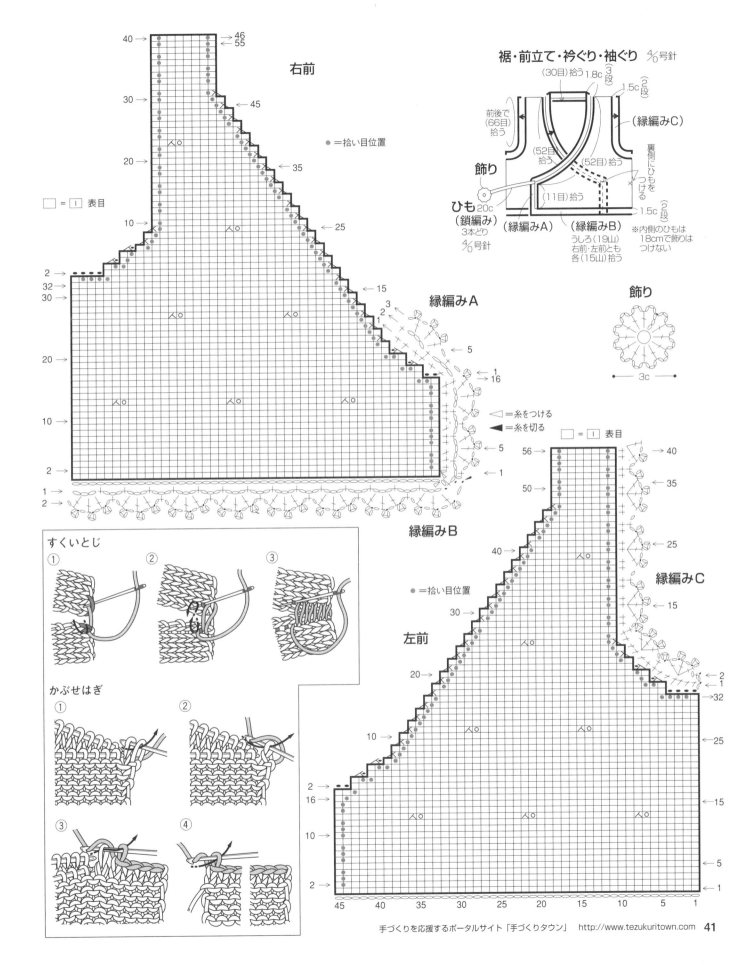

右前

40→
←46
←55

30→
←45

●＝拾い目位置

□ = ⊡ 表目

20→
←35

10→
←25

2→
←15
32→
30→

裾・前立て・衿ぐり・袖ぐり 4/0号針

(30目)拾う 1.8c (3段)

前後で(66目)拾う

1.5c (2段)

(縁編みC)

(52目)拾う
(52目)拾う

裏側にひもをつける

飾り

ひも 20c
(鎖編み)
3本どり
4/0号針

(11目)拾う

(縁編みA)
(縁編みB)
うしろ(19山)
右前・左前とも
各(15山)拾う

1.5c (2段)

※内側のひもは
18cmで飾りは
つけない

飾り

縁編みA

←3
←2
←1

←5

←1
←16

←5

←1

◁=糸をつける
◀=糸を切る

□ = ⊡ 表目

縁編みB

20→

10→

2→

2→
1→
2→

すくいとじ

① ② ③

かぶせはぎ

① ②

③ ④

56→
50→
→40

→35

←25

40→

←15

30→
縁編みC

左前

●＝拾い目位置

20→
←2
←1
→32

10→
←25

2→
16→
←15

10→
←5

2→
←1

45 40 35 30 25 20 15 10 5 1

3・4
6page

0〜6カ月

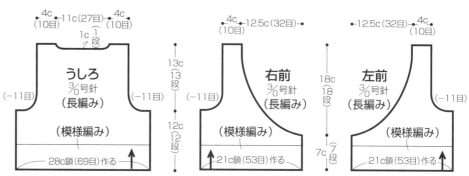

うしろ
3/0号針
（長編み）
（模様編み）
・4c(10目)・11c(27目)・4c(10目)
1c 1段
13c(13段)
12c(12段)
（−11目）（−11目）
28c鎖(69目)作る

右前
3/0号針
（長編み）
（模様編み）
・4c(10目)・12.5c(32目)
（−11目）
21c鎖(53目)作る

左前
3/0号針
（長編み）
（模様編み）
・12.5c(32目)・4c(10目)
18c(18段)
7c(7段)
（−11目）
21c鎖(53目)作る

●用意するもの
糸…ハマナカ キューピッド(中細タイプ)
3 サーモンピンク(3)、4 ブルー(10)各100g＝3玉。
針…かぎ針3／0号。
●出来上がり寸法
胸囲56cm、背肩幅21cm、丈27cm。
●ゲージ
10cm平方で模様編み・長編みとも25目×10段。
●編み方ポイント
うしろ・右前・左前 鎖編みの作り目をして、鎖の裏山を拾って編み始め、各部分図を参照して編みます。
まとめ 肩はつき合わせにして巻きかがり、脇は中表に合わせ、「引き抜き編み1目、鎖3目」の鎖とじにします。ひもは糸3本どりで鎖編みをして18cm、16cmを各2本ずつ作り、18cmのひもに飾りをつけて指定位置につけます。

裾・前立て・衿ぐり（縁様編みA）3/0号針
(28目)拾う 2c3段 1c2段
袖ぐり
（縁様編みB）3/0号針
裏側にひもをつける
(48目)拾う
前後で(60目)拾う
(14目)拾う
ひも 18c
（鎖編み）
3本どり
3/0号針
飾り
※内側のひもは16cmで飾りはつけない。
うしろ(68目)
右前・左前とも各(52目)拾う

飾り（女児）3/0号針 2枚
4.5c

◁＝糸をつける
◀＝糸を切る
←＝糸を渡す

うしろ

13← 12→ 10→ 8→ 6→ 4→ 2→
縁編みB
2 1 12 11
12→ 10→ 8→ 6→ 5 4→ 3 2→ 1
緑編みA
模様編みA

指でかけるわの作り目
① ② ③ ④

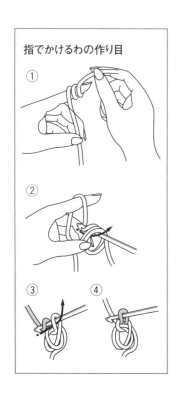

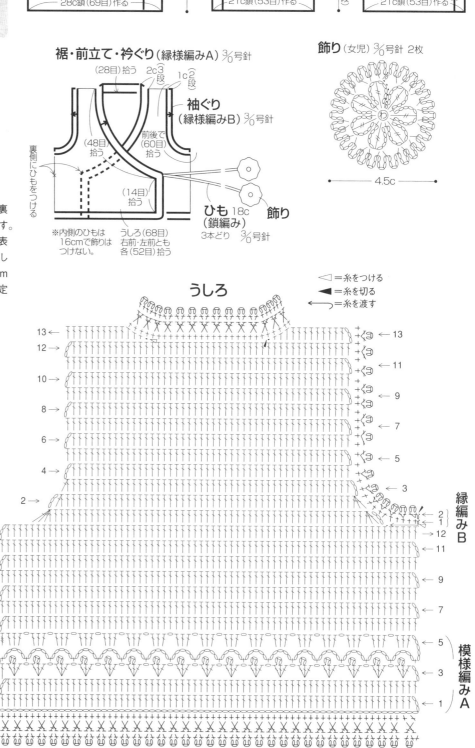

42

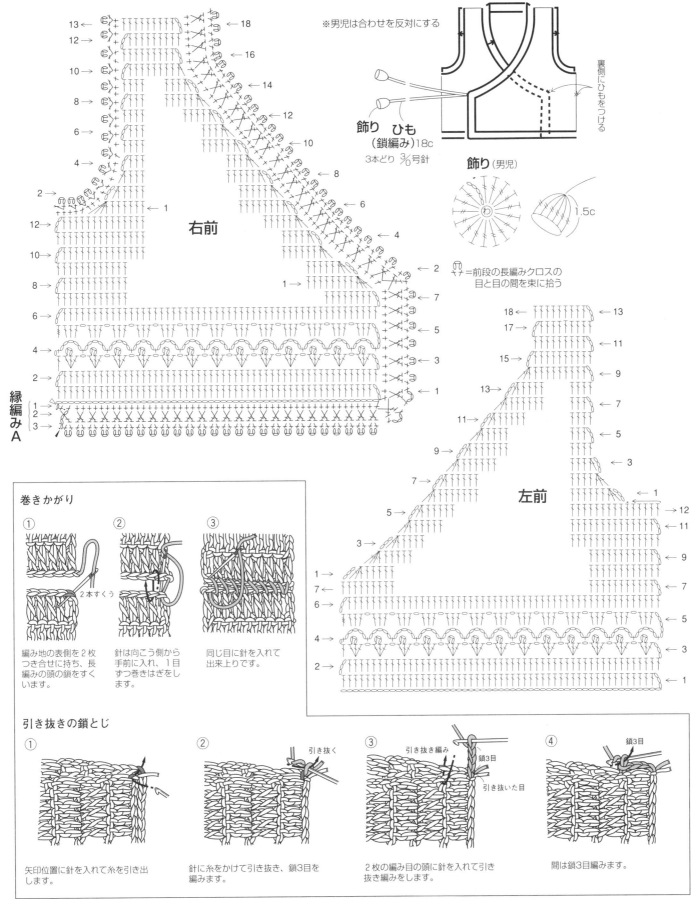

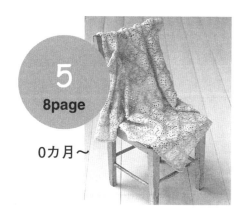

5

8page

0カ月～

●用意するもの
糸…ハマナカ フォープライ（中細タイプ）
生成り(302)175g＝4玉、ピンク(305)150g＝3玉。
針…かぎ針3／0号。

●出来上がり寸法
85.5cm×85.5cm。

●ゲージ
モチーフ7.5cm×7.5cm

●編み方ポイント
モチーフA・Bは配色をかえて同要領に編みます。わ
の作り目をし、1段目は鎖3目で立ち上がり、「長編み
5目のパプコーン編み、鎖5目」を4回くり返して、立ち
上がりの目に引き抜きます。2段目からは、モチーフA
は毎段色をかえるので、各段ごとに糸端の始末をし
て新たに糸をつけて編み進みます。Bは生成り一色
で編み進んでいきます。5段目は、モチーフA・Bともピ
ンクにかえて、つなぐ相手の鎖を束に拾って引き抜き、
編みでつないでいきます。周囲はピンクで縁編みを1
段編みます。

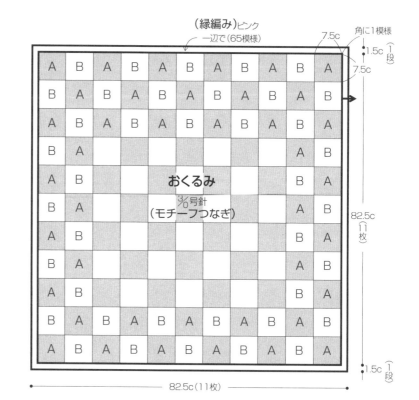

（縁編み）ピンク
一辺で(65模様)

角に1模様
7.5c
1.5c（1段）
7.5c

おくるみ
³⁄₀号針
（モチーフつなぎ）

82.5c（11枚）

82.5c（1枚）

1.5c（1段）

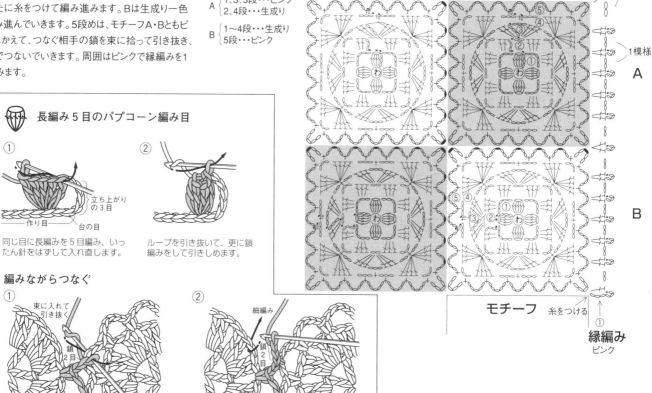

長編み5目のパプコーン編み目

① 立ち上がりの3目／台の目／作り目
同じ目に長編みを5目編み、いったん針をはずして入れ直します。

② ループを引き抜いて、更に鎖編みをして引きしめます。

編みながらつなぐ

① 束に入れて引き抜く／鎖2目

② 細編み／鎖2目

一辺で65模様拾う

角に1模様

1模様

モチーフの配色

A ｛1、3、5段…ピンク
2、4段…生成り｝

B ｛1～4段…生成り
5段…ピンク｝

A

B

モチーフ 糸をつける

縁編み ピンク

44

6
9page

3〜12カ月

●用意するもの
糸…ハマナカ かわいい赤ちゃん（並太タイプ）
生成り(2) [サックコート200ｇ、帽子30ｇ]230
ｇ＝6玉 。
付属品…直径15mmのボタン3個。
針…かぎ針5／0号、6／0号。

●出来上がり寸法
サックコート　丈32.5cm、ゆき丈29cm、帽子
頭回り48cm、深さ15.5cm。

●ゲージ
10cm平方で模様編みA2模様×9段、B20目×8段。

●編み方ポイント
サックコート　身頃は左前、うしろ、右前を続けて
鎖141目作り、鎖の半目と裏山を拾って模様編みA
でまっすぐ17段編み、続けて裾の縁編みAを1段編
みます。袖は鎖61目作り、身頃と同様に拾って模様
編みAで編み、袖下は図を参照して減目して編み、同
様に2枚編みます。ヨークは身頃と袖から拾って模様
編みBにし、図を参照して衿ぐりまで減目をしながら編
みます。前立て・衿は続けて縁編みBで編みます。
帽子　トップでわの作り目をし、長編みで等分に増し
目しながら、ぐるぐる7段まで編みます。側面は模様編
みAにし、毎段持ち替えて8段編み、縁編みAを1段
編みます。ひもは糸2本どりで鎖編みにし、先に飾りを
つけて 帽子の指定位置につけます。

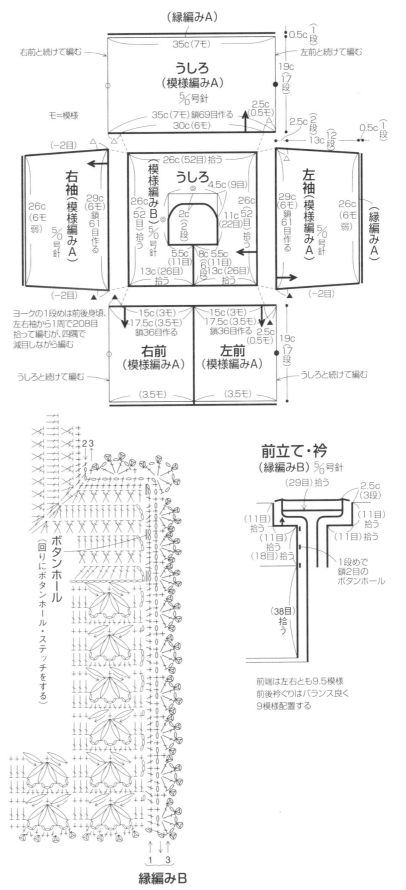

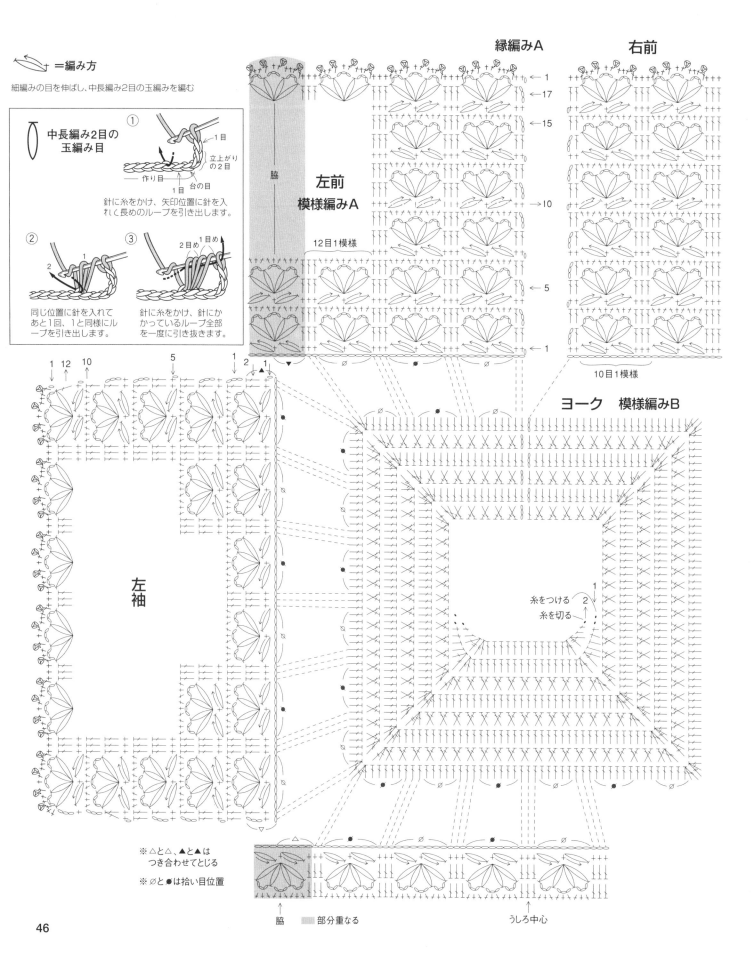

＝編み方

細編みの目を伸ばし、中長編み2目の玉編みを編む

中長編み2目の
玉編み目

① 針に糸をかけ、矢印位置に針を入れて長めのループを引き出します。

1目
立上がりの2目
台の目
作り目
1目

② 同じ位置に針を入れてあと1回、1と同様にループを引き出します。

③ 針に糸をかけ、針にかかっているループ全部を一度に引き抜きます。

2目め
1目め

縁編みA　　右前

左前
模様編みA

脇

12目1模様

10目1模様

ヨーク　模様編みB

糸をつける
糸を切る

左袖

※△と△、▲と▲は
　つき合わせてとじる

※∅と●は拾い目位置

脇　■部分重なる　　うしろ中心

46

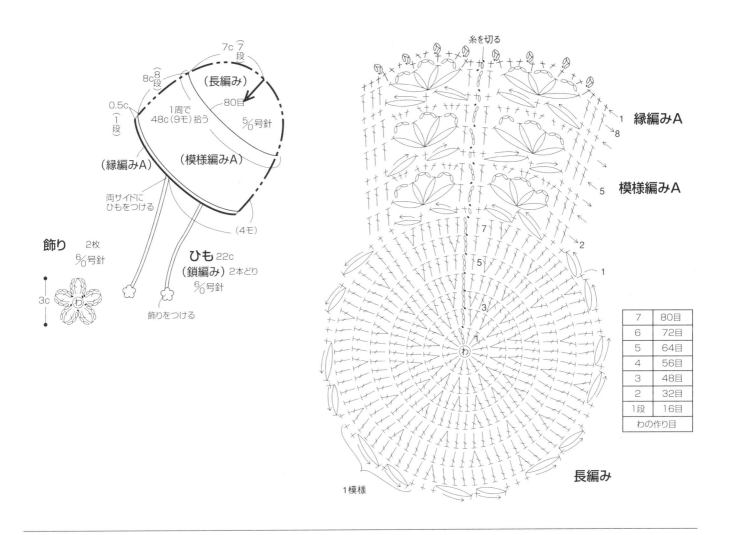

飾り 2枚
6/0号針

3c

長編み 7段
7c

8c 8段

0.5c 1段

(長編み)
80目

1周で48c(9モ)拾う

5/0号針

(縁編みA)

(模様編みA)

両サイドにひもをつける

(4モ)

ひも 22c
(鎖編み) 2本どり
6/0号針

飾りをつける

糸を切る

縁編みA 1
8

模様編みA 5

7
2
5
3
1
わ

7	80目
6	72目
5	64目
4	56目
3	48目
2	32目
1段	16目
わの作り目	

長編み

1模様

●82ページからの続き

帽子

□ = I 表目

帽子 男児用

図参照

等分減目(-80目)

(12目)

5c 14段

(23目) (23目) (23目)

(メリヤス編み) 7号針

44c(92目)

折り返し

(2目ゴム編み)

(92目)作る

5号針

9.5c 26段

6c 12段

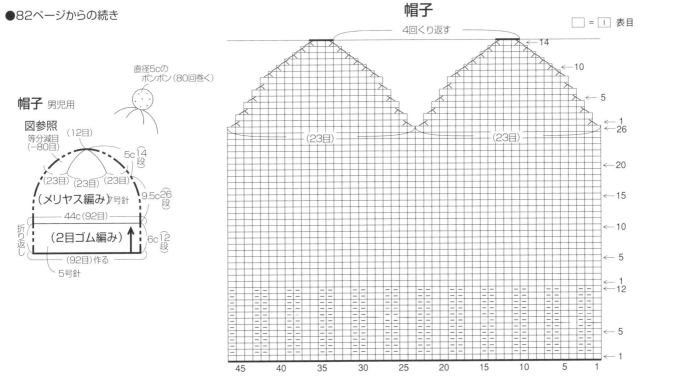

直径5cのボンボン(80回巻く)

4回くり返す

14
10
5
1
26

(23目)   (23目)

20
15
10
5
1
12
5
1

45 40 35 30 25 20 15 10 5 1

7・8
10page
6〜12カ月

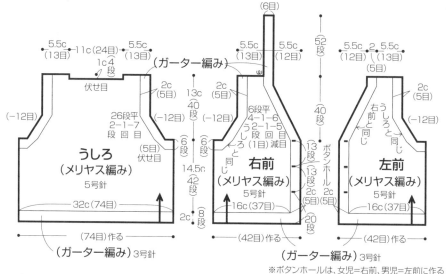

（ガーター編み）

うしろ
（メリヤス編み）
5号針

5.5c（13目）― 11c（24目） ― 5.5c（13目）
1c 4段
伏せ目
2c（5目）
26段平
2-1-7
段 回目
（5目）
伏せ目
（−12目）
32c（74目）
（74目）作る
（ガーター編み）3号針

（ガーター編み）

右前
（メリヤス編み）
5号針

5.5c（13目） 5.5c（12目）
2c（5目）
6段平
4-1-6
2-1-5
段 回目
（1目）減目
13c 40段
同じ
うしろと同じ
13c同じ
2c（5目）
ボタンホール2c（5目）
16c（37目）
20段
（42目）作る
（ガーター編み）3号針

52段
40段
6段
6段
14.5c 42段
2c 8段

ボタンホール

（6目）

左前
（メリヤス編み）
5号針

5.5c（12目） 2 5.5c（13目）
（5目）
2c（5目）
うしろ前と同じ
（−12目）
16c（37目）
（42目）作る

※ボタンホールは、女児＝右前、男児＝左前に作る

●うしろ・右前・左前の図解は50・51ページにあります。

ポケット（モチーフ）5/0号針

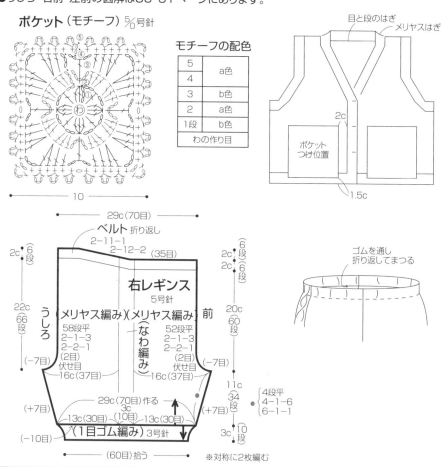

10

モチーフの配色

5	a色
4	a色
3	b色
2	a色
1段	b色
わの作り目	

目と段のはぎ
メリヤスはぎ

2c
ポケットつけ位置
1.5c

ゴムを通し折り返してまつる

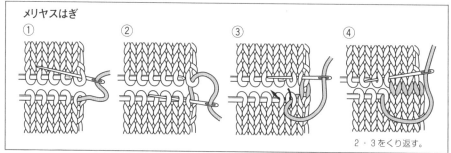

ベルト 折り返し
2-11-1
2-12-2 （35目）

29c（70目）

右レギンス
5号針

うしろ メリヤス編み（メリヤス編み）前
なわ編み
58段平
2-1-3
2-2-1
（2目）
伏せ目
16c（37目）

52段平
2-1-3
2-2-1
（2目）
伏せ目
16c（37目）

2c（6目）
2c（6段）
2c（6目）

22c 66段
（−7目）
（−7目）

20c 60段

（+7目）
29c（70目）作る
3c
13c（30目）（10目）13c（30目）
（+7目）
（−10目）
（1目ゴム編み）3号針
（60目）拾う

11c 34段
4段平
4-1-6
6-1-1

3c 10段

※対称に2枚編む

●用意するもの
糸…ハマナカ かわいい赤ちゃん（並太タイプ）
7 黄緑(14)100g＝3玉、生成り(2)10g、
8 サーモンピンク(5)100g＝3玉、生成り(2)10g、
レギンス　生成り(2)100g＝3玉
付属品…直径15mmのボタン各3個、15mm幅のゴムテープ各50cm。
針…棒針5号、3号、かぎ針5／0号。
●出来上がり寸法
ベスト　胸囲66cm、背肩幅22cm、丈29.5cm、
レギンス　胴回り45cm、丈36cm。
●ゲージ　10cm平方でメリヤス編み23目×30段、
モチーフ10cm×10cm。
●編み方ポイント
ベスト　別鎖の作り目をし、鎖の裏山を拾って編み始めます。うしろはメリヤス編みで36段まで編みましたら、袖ぐりをガーター編みにし、減目は端から5目めと6目めを2目一度にして減らしていきます。肩は糸がある右側を先に編み、休み目にします。衿ぐりは糸をつけて伏せ目にし、続けてもう一方の肩を編みます。前は前立てをガーター編みにし、一緒に編みます。衿ぐりの減目も袖ぐりと同要領に減らします。うしろ衿ぐりのガーター編み部分は右前から、とじ分1目を足して続けて編みます。ポケットはかぎ針編みでモチーフを編みます。まとめ　裾は別鎖はほどいて棒針に移し、裏から引き抜き止めにします。肩はかぶせはぎ、脇はすくいとじにします。ポケットは指定位置にモチーフの3段めの頭をまつりつけます。ボタンは同色の毛糸でつけます。
レギンス　1目ゴム編み切り替え位置で別鎖の作り目をし、鎖の裏山を拾って編み始めます。脇位置になわ編みを入れて図のように、対称に2枚編みます。1目ゴム編みは別鎖をほどいて目を棒針に移して10段編み、編み終わりは1目ゴム編み止めにします。股上は2枚の前・うしろ同士を合わせ、股下は各々を輪にしてすくいとじにします。ベルトは折り返し部分を折り、ゴムテープを通してまつります。

配色

	7	8
a色	黄緑	サーモンピンク
b色	生成り	生成り

メリヤスはぎ
① ② ③ ④

2・3をくり返す。

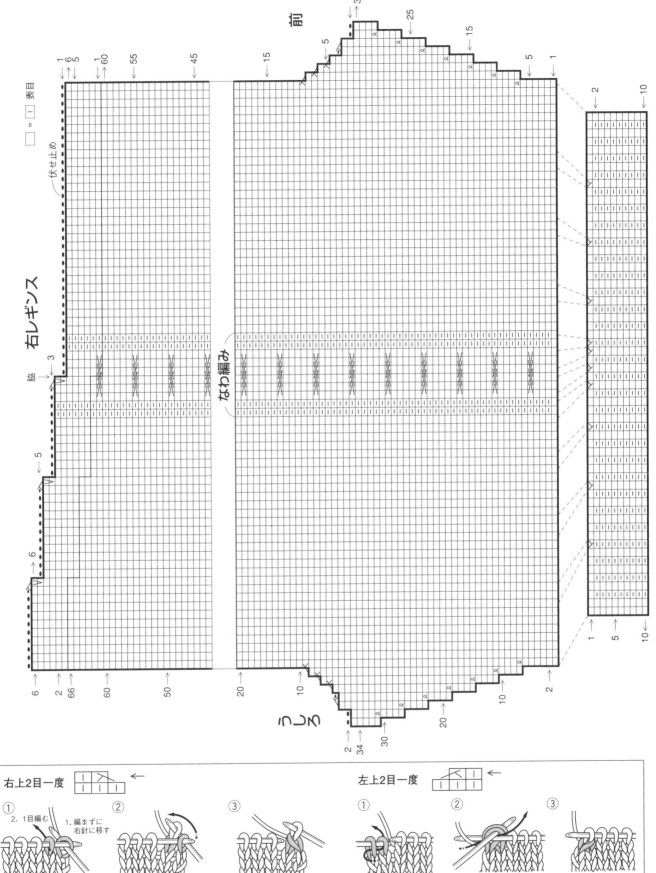

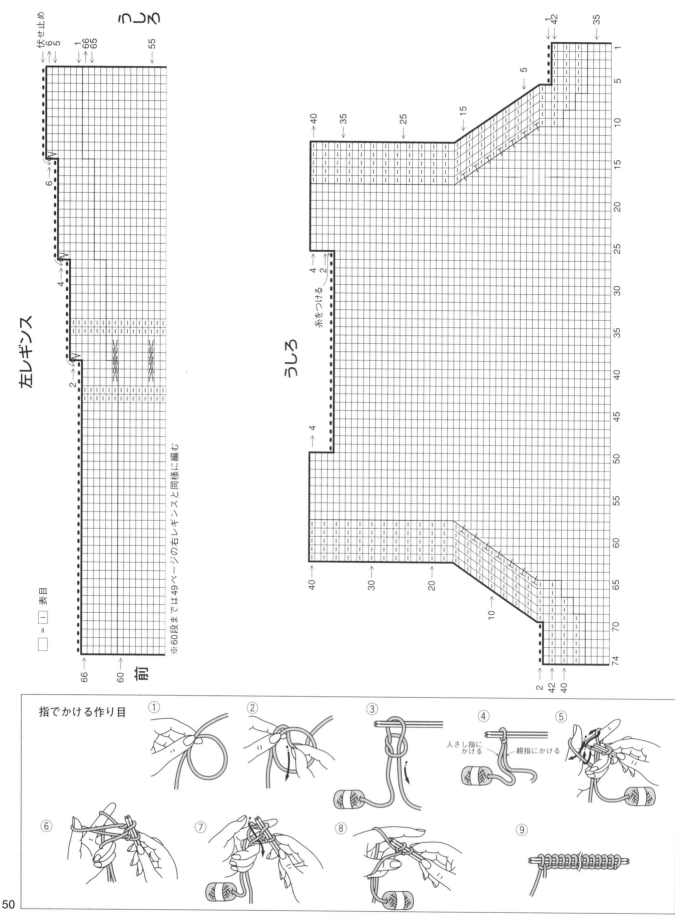

左レギンス

うしろ

伏せ止め
6
5
1
66
65
55

V
6
4
V
2
V

表目
= | 表目

※60段までは49ページの右レギンスと同様に編む

66
60
前

うしろ

糸をつける
4
2

4

40
35
25
15

5

1
42

35

5

10

15

20

25

30

35

40

45

50

55

60

65

70

74

40
30
20
10

2
42
40

指でかける作り目

① ② ③ ④ 人さし指にかける 親指にかける ⑤

⑥ ⑦ ⑧ ⑨

50

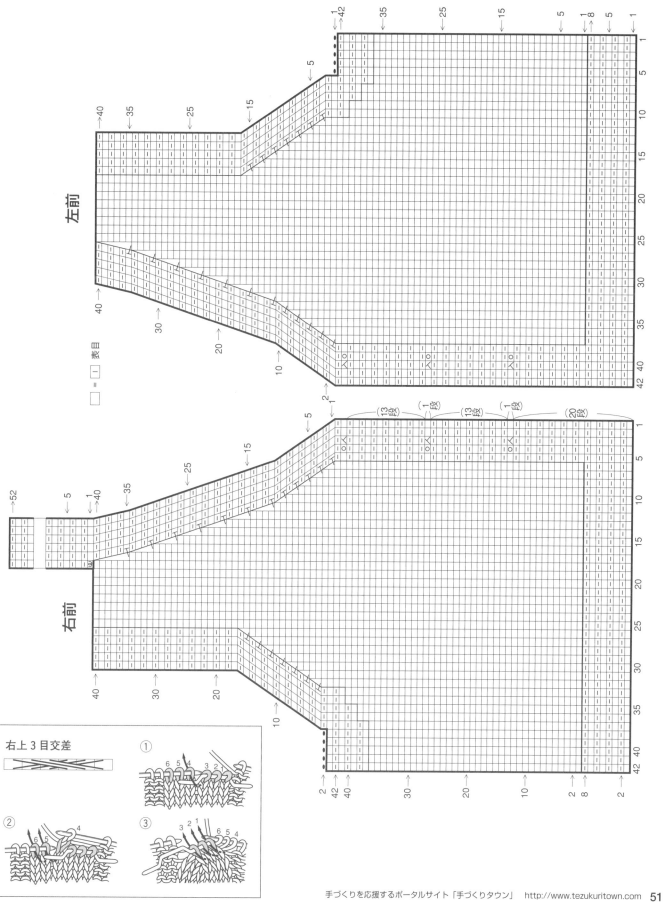

左前

□ = | 表目

右前

右上３目交差

① ② ③

9・10
12page

6〜12カ月

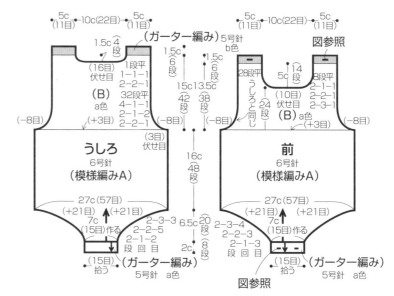

うしろ
6号針
（模様編みA）

前
6号針
（模様編みA）

衿・袖ぐり・足ぐり（ガーター編み）b色

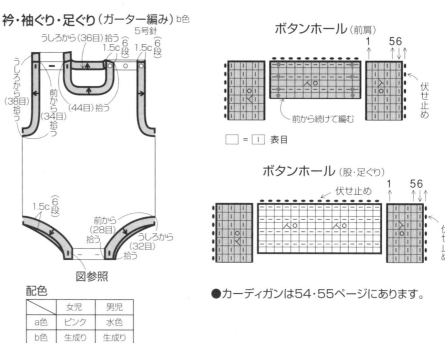

図参照

配色

		女児	男児
a色		ピンク	水色
b色		生成り	生成り

ボタンホール（前肩）

□ = | 表目

前から続けて編む

ボタンホール（股・足ぐり）

伏せ止め

●カーディガンは54・55ページにあります。

すべり目

① 編まずに右針に移す
②
③

巻き増し目　左側　右側

人さし指にかけている糸に、図のように針を入れて、糸をはずします。

人さし指にかけている糸に、図のように針を入れて、糸をはずします。

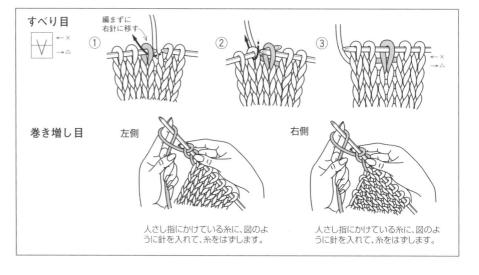

●用意するもの

糸…ハマナカ かわいい赤ちゃん（並太タイプ）
9 ピンク(4)[ロンパース60g、カーディガン100g]160g＝4玉、生成り(2)[ロンパース50g、カーディガン20ｇ]70g＝2玉、
10 水色(6)[ロンパース60g、カーディガン20g]80g＝2玉、生成り(2)[ロンパース50g、カーディガン100g]150ｇ＝4玉。
付属品…ボタン 直径15mmを各4個、直径12mmを各10個。
針…棒針6号、5号。

●出来上がり寸法
ロンパース 胸囲54cm、背肩幅23cm、丈38.5cm、
カーディガン 胸囲61.5cm、背肩幅26cm、丈27.5cm、袖丈18.5cm。

●ゲージ
10cm平方で模様編みA21目×30段、B22目×28段。

●編み方ポイント
ロンパース ガーター編み切り替え位置で別鎖の作り目をし、鎖の裏山を拾って模様編みAで編みます。足ぐりの増し目は、1目のときは1目内側の渡り糸をねじり増し目、2目以上は巻き増し目にします。脇はまっすぐ編み、模様編みBにかえるときに、かけ目とねじり目で3目増し目します。うしろは図の通りに、前は38段まで編み、肩は続けてガーター編みを6段編んで、ボタンホールを作ります。股のガーター編みは別鎖をほどいて編みます。まとめ 脇はすくいとじにします。衿・袖ぐり・足ぐりは拾い目してガーター編みを6段編み、編み終わりは伏せ止めにします。
カーディガン 別鎖の作り目をして図のように編みます。袖口は別鎖をほどいてガーター編みにし、編み終わりは伏せ止めにします。まとめ 肩は中表に合わせてかぶせはぎ、脇・袖下はすくいとじにし、裾をガーター編みで袖口と同要領に編みます。衿・前立ては拾い目してガーター編みにし、袖は身頃に引き抜きとじでつけます。

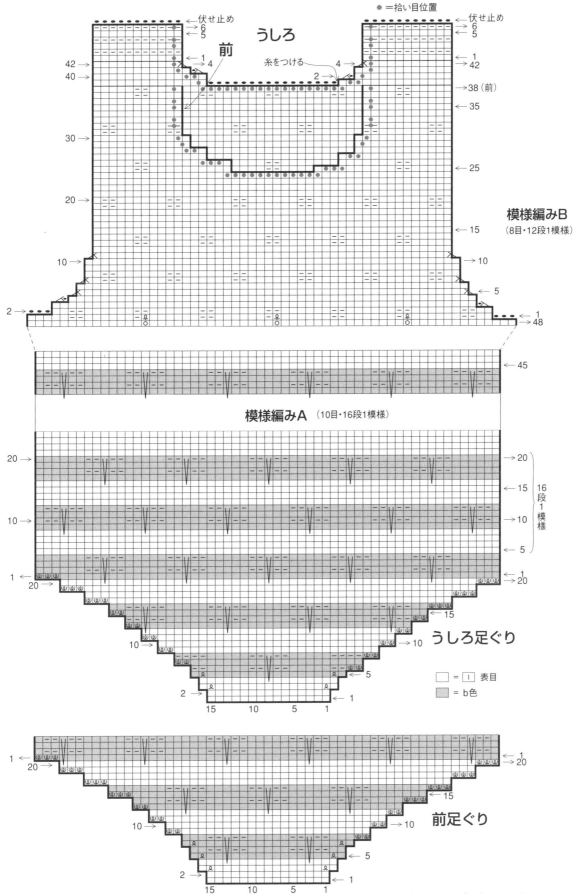

● =拾い目位置

伏せ止め
うしろ
前
糸をつける

模様編みB
（8目・12段1模様）

42→
40→
→38（前）
←35
30→
←25
20→
←15
←10
10→
←5
2→
→1
→48

模様編みA　（10目・16段1模様）

←45

20→
→20
←15
16段1模様
10→
→10
→5
1→
→20
←15
10→
→10
←5
2→
←1

うしろ足ぐり

15　　10　　5　　1

□ = Ｉ 表目
▨ = b色

前足ぐり

1←
→1
→20
←15
10→
→10
←5
2→
←1

15　　10　　5　　1

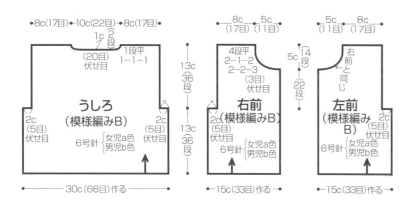

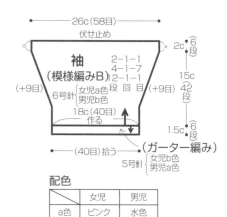

配色

	女児	男児
a色	ピンク	水色
b色	生成り	生成り

うしろ

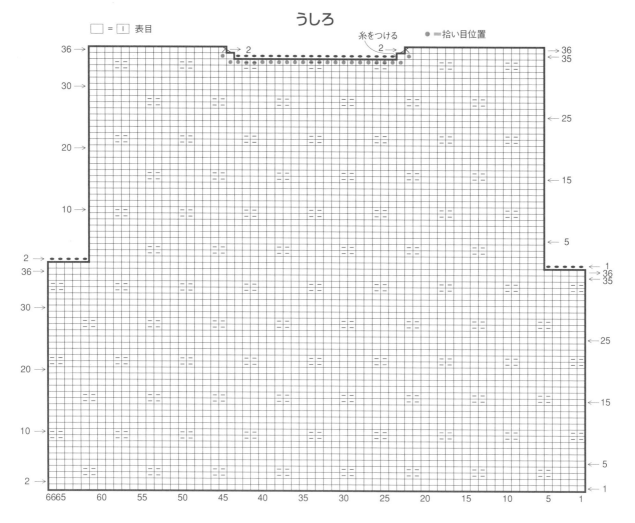

□ = Ⅰ 表目　　糸をつける　　●=拾い目位置

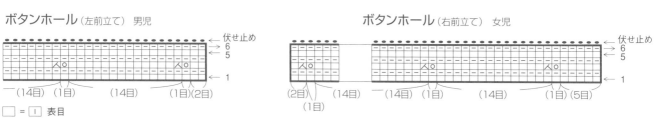

ボタンホール（左前立て）男児　　　　　　ボタンホール（右前立て）女児

□ = Ⅰ 表目

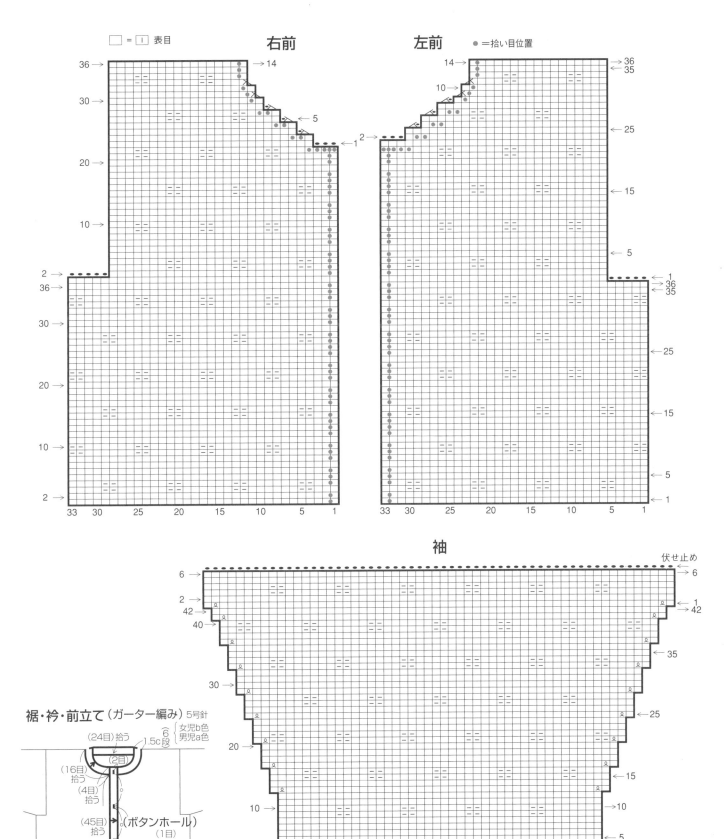

□ = ｜ 表目

右前

左前

● =拾い目位置

袖

伏せ止め

裾・衿・前立て（ガーター編み）5号針

女児b色
男児a色

(24目)拾う
1.5c 6段
(2目)

(16目)
拾う
(4目)
拾う

(45目)
拾う
(ボタンホール)
(1目)

(14目)
(5目)

前から(32目)
拾う

1.5c
6段

(4目)
拾う
1.5c
6段

うしろから(64目)拾う

※男児はボタンホールを左前立てに作る

□ = ｜ 表目

11・12
14page

12カ月前後

●用意するもの
糸…ハマナカ かわいい赤ちゃん（並太タイプ）
11 生成り(2)70g＝2玉、ピンク(4)60g＝2玉、
12青(10)100g＝3玉、生成り(2)30g＝1玉。
付属品…直径12mmのボタン各6個。
針…棒針5号、4号。
●出来上がり寸法
胸囲64cm、背肩幅26cm、丈33cm、袖丈24cm。
●ゲージ
10cm平方でメリヤス編み縞21目×27段。
●編み方ポイント
うしろ・前・袖　指でかける作り目をして編み始めます。
肩の1目ゴム編みは1段めで増し目をして6段編み、伏
せ止めにします。袖下の増し目は1目内側で右増し目、
左増し目をします。

まとめ　脇・袖下はすくいとじ
にし、衿は前後別に編み、編み
終わりは伏せ止めにします。袖
は、肩の1目ゴム編みをうしろを
上にして重ね、引き抜きとじで
身頃につけます。

配色

	女児	男児
a色	生成り	青
b色	ピンク	生成り

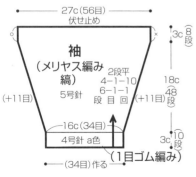

袖
（メリヤス編み縞）
5号針
2段平
4-1-10
6-1-1
段 目 回
18c
48段
(+11目)
27c(56目)
伏せ止め
3c(8段)
16c(34目)
4号針 a色
(1目ゴム編み)
3c(10段)
(+11目)
(34目)作る

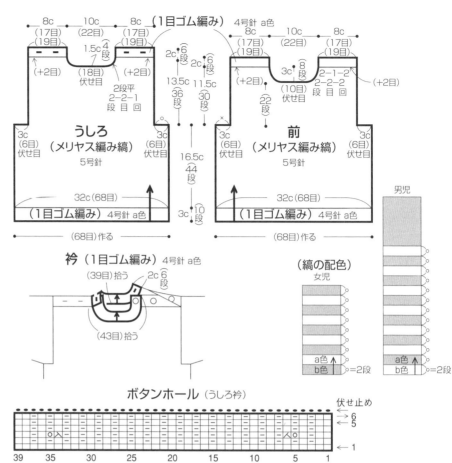

うしろ（メリヤス編み縞）5号針
前（メリヤス編み縞）5号針
8c(17目)(19目) 10c(22目) 8c(17目)(19目)
1.5c 4段
(18目)伏せ目
2段平 2-2-1 段目回
(+2目)
3c(6目)伏せ目
32c(68目)
（1目ゴム編み）4号針 a色
(68目)作る

（1目ゴム編み）
4号針 a色
2c 6段
2c 6段
13.5c 36段
11.5c 30段
16.5c 44段
3c 10段

4号針 a色
8c(17目)(19目) 10c(22目) 8c(17目)(19目)
(+2目)
3c 8段
(10目)伏せ目
2-1-2 2-2-2 段目回
(+2目)
3c(6目)伏せ目
22段

衿（1目ゴム編み）4号針 a色
(39目)拾う
2c 6段
(43目)拾う

（縞の配色）
女児
男児
a色↑
b色 ＝2段
a色↑
b色 ＝2段

ボタンホール（うしろ衿）
伏せ止め
→6
→5
←1
39 35 30 25 20 15 10 5 1

袖
□＝[|] 表目
伏せ止め

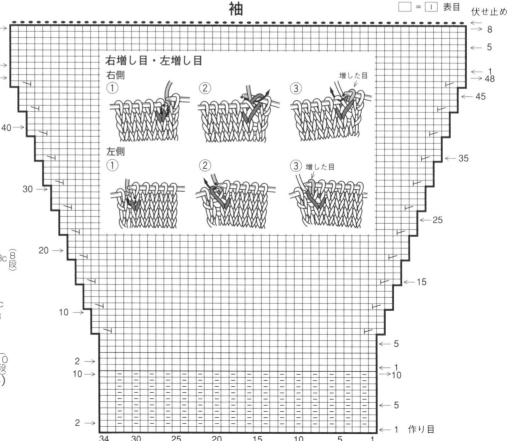

右増し目・左増し目
右側
① ② ③ 増した目
左側
① ② ③ 増した目

56

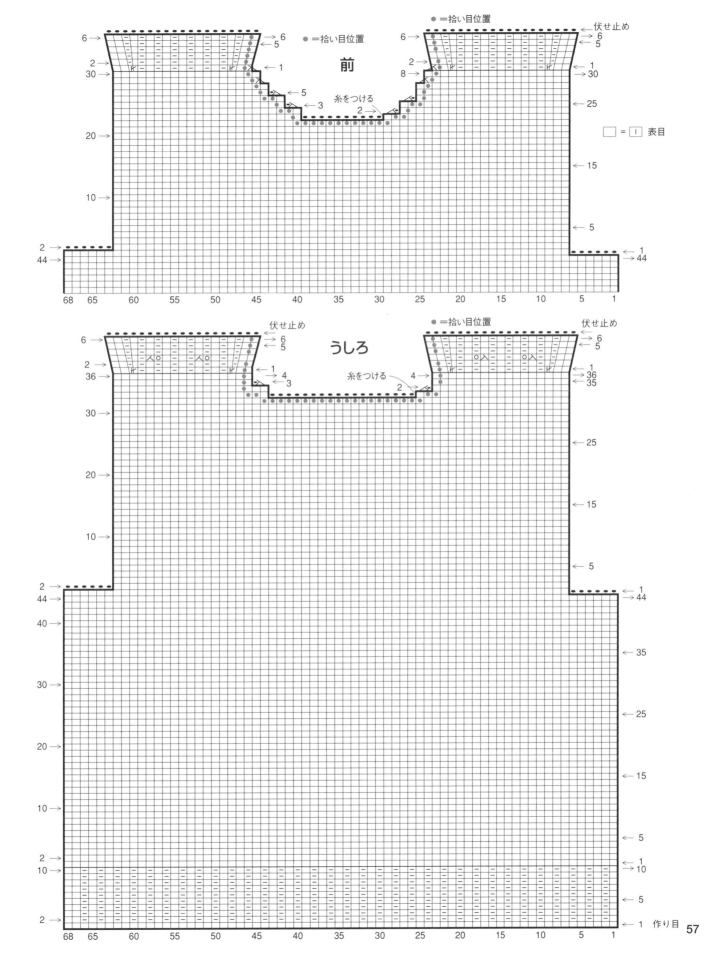

前

13·14
16page

13＝12カ月
14＝18カ月

●用意するもの
糸…ハマナカ かわいい赤ちゃん＜ピュアコットン＞
（中細タイプ）
13 ピンク(3)[ジャンパースカート150g、ブルマー110
g]260g＝7玉。
14 クリーム色(2)[ジャンパースカート160g、ブルマー
110g]270g＝7玉。
付属品…直径15mmのボタン各2個、15mm幅のゴム
テープ各50cm、ゴムロープ各20cm×2本。
針…かぎ針4／0号。
●出来上がり寸法
ジャンパースカート　胸囲52cm、背肩幅22cm、
丈36.5cm(39.5cm)、ブルマー　胴回り45cm、丈27.5cm。
※（ ）内は18ヵ月、指定以外は12ヵ月と同寸
●ゲージ
10cm平方で長編み21目×10段。
●編み方ポイント
ジャンパースカート　スカートはウエスト切り替え
位置で鎖85目作り、鎖の裏山を拾って模様編みで
等分増し目をしながら編みます。ヨークはスカートの
作り目を束に拾って長編みで編みます。まとめ　肩
は右肩を巻きかがりにし、脇は中表に合わせ、「細編
み1目、鎖2目」の鎖とじにします。裾は縁編みAを輪
に3段編みます。衿・肩あき・袖ぐりは図を参照して縁
編みBで編みます。ウエスト部分の飾りはスカートの
作り目をヨークと交互に束に拾って編みます。
ブルマー　鎖82目作って鎖3目で立ち上がり、鎖に
半目と裏山を拾って長編みで図のように編みます。
もう一方のパンツは18段までは同様に編み、うしろ上
がりから対称に編みます。まとめ　股上は2枚を中表
に合わせ、鎖とじにし、股下は各々を輪にして同様に
とじます。足口は縁編みAを輪に編み、長編みの1段
めの足の中にゴムロープを通して輪に結びます。ベル
トはゴムテープを輪にして通し、折り返し部分をま
つります。

引き抜きピコット

① 針を入れて
② 引き抜く
③ 細編み

前後スカート

模様編み

縁編みA

糸を切る

糸をつける

12ヵ月サイズは4段分をカットする

※ヨークの1段めは両端以外は●をくり返して（55目）拾う

ヨークの1段め

中央

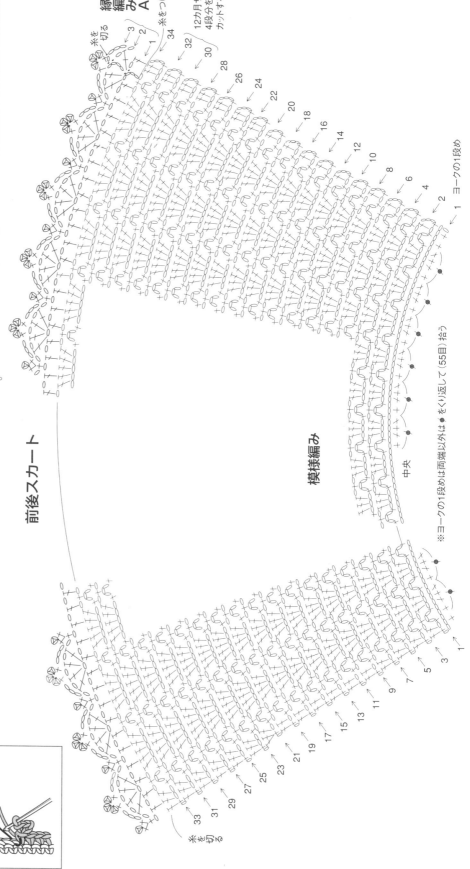

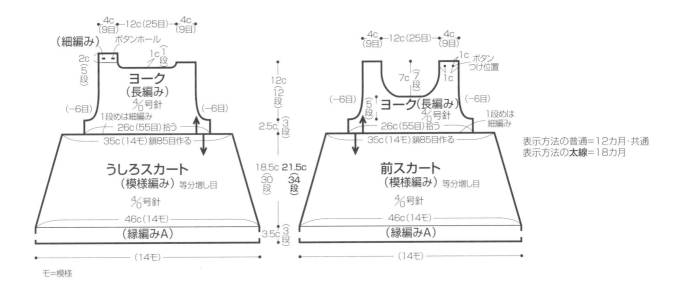

●ブルマーの図解は60ページにあります。

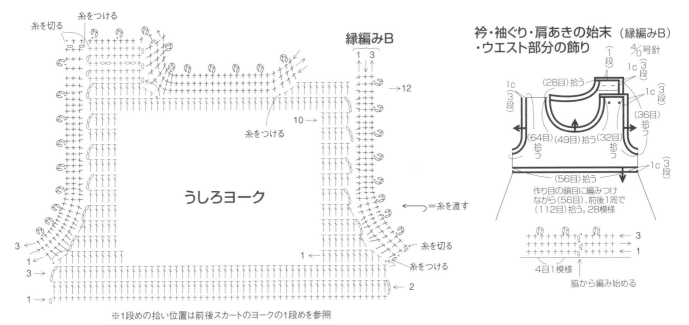

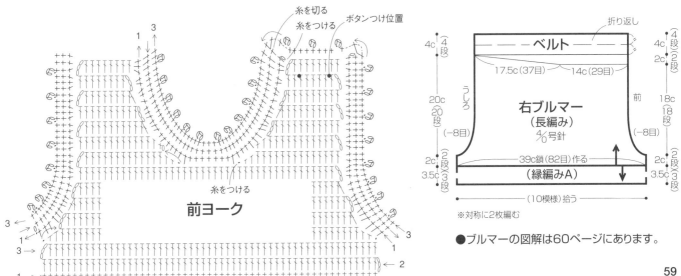

右ブルマー

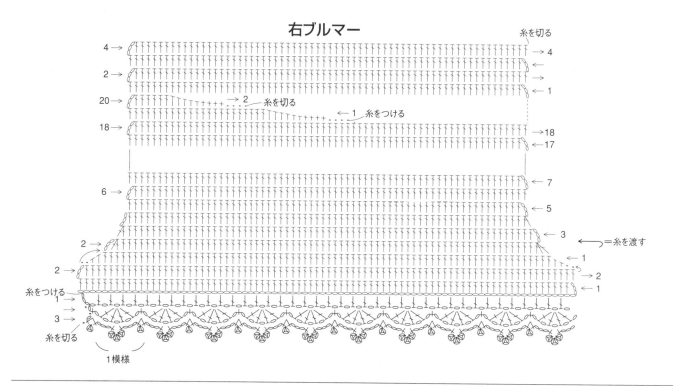

糸を切る

4 →
2 →
→ 4
←
→
← 1
20 → 2 糸を切る
← 1 糸をつける
18 →
→18
←17
→ 7
6 →
← 5
→ 3
← = 糸を渡す
2 →
← 1
2 →
→ 2
糸をつける
1 →
← 1
→
3 →
糸を切る
1模様

●78ページからの続き

袖

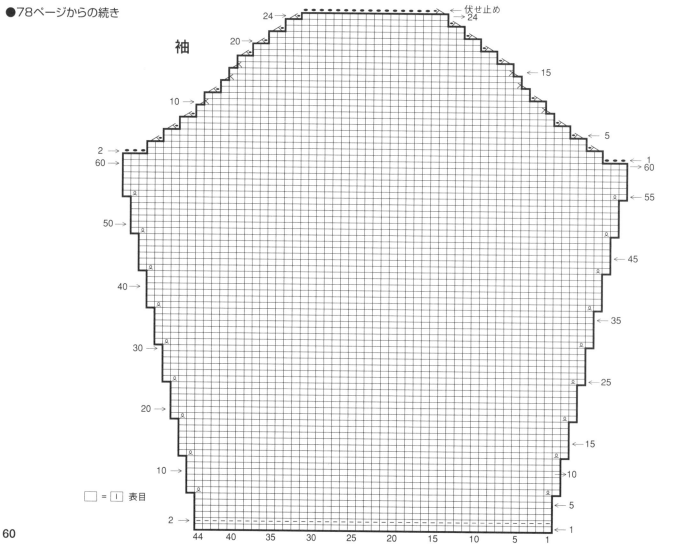

24 →
伏せ止め
←24
20 →
← 15
10 →
← 5
2 →
← 1
60 →
→60
← 55
50 →
← 45
40 →
← 35
30 →
← 25
20 →
← 15
10 →
→10
← 5
2 →
← 1

44 40 35 30 25 20 15 10 5 1

□ = | 表目

左ブルマー

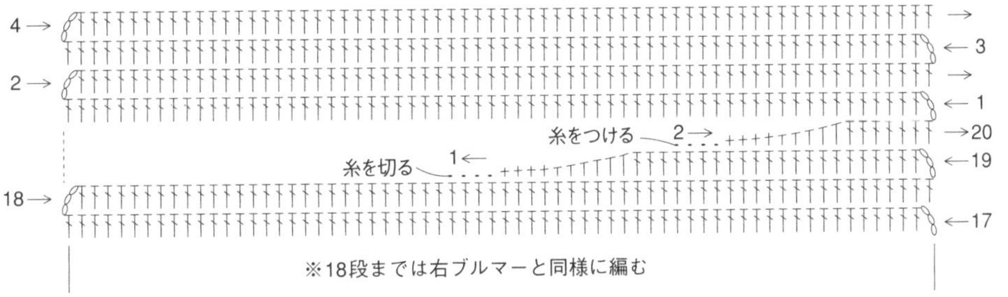

糸をつける
糸を切る
※18段までは右ブルマーと同様に編む

細編みの鎖とじ

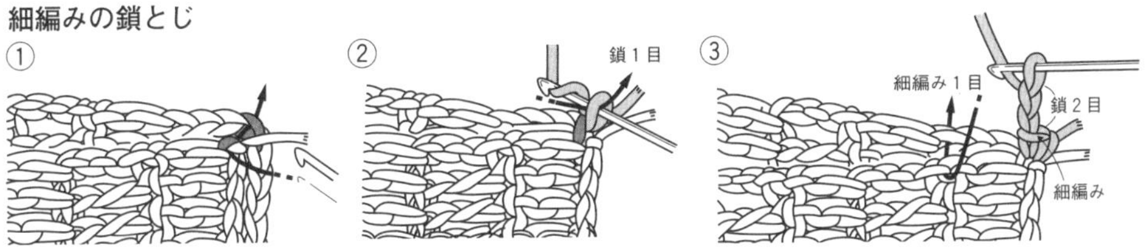

鎖1目
細編み1目
鎖2目
細編み

① 編み地を中表に合せ、作り目の矢印の位置にかぎ針を入れて糸を引き出します。

② 針に糸をかけて鎖1目、同じ目に細編み1目を編みます。

③ 鎖2目を編み、端の目の頭同士に針を入れて細編みを編みます。

裏目のねじり目

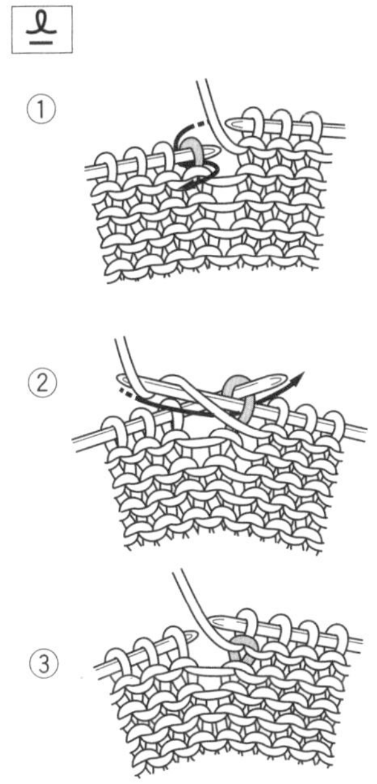

●80ページからの続き

袖

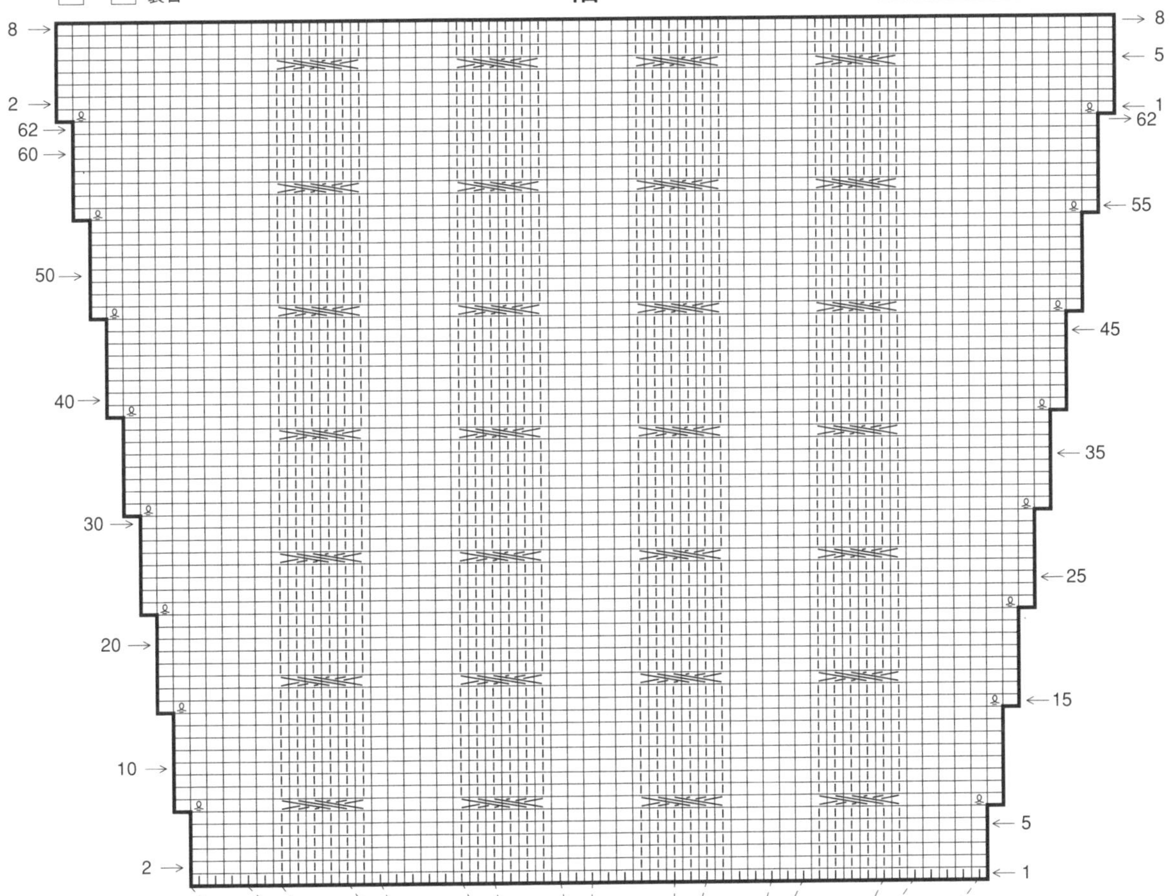

□ = ㊀ 裏目

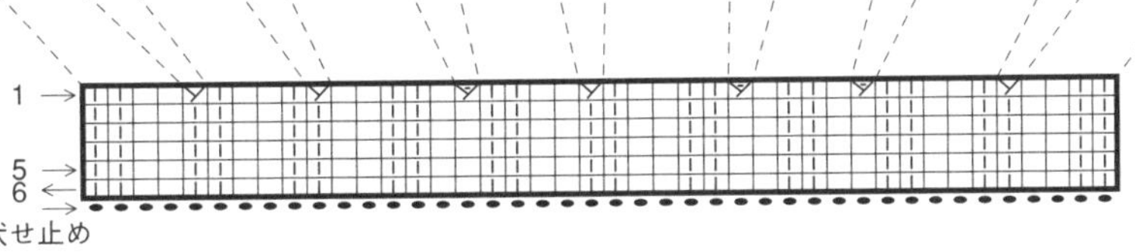

伏せ止め

15・16
18page

15＝12カ月
16＝18カ月

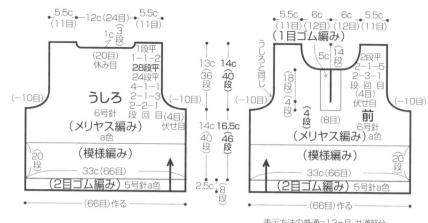

5.5c　12c(24目)　5.5c
(11目)　　　　(11目)
1c（3
（20目）　段
休み目　1段平
1-1-2
28段平
24段平
4-1-1
2-1-3
うしろ　2-2-1
6号針　段　回　目（4目）
（メリヤス編み）a色　伏せ目
（模様編み）
(−10目)　　　　　(−10目)
20　33c(66目)　20
段　　　　　　　　段
（2目ゴム編み）5号針a色
(66目)作る

13c　14c
36　40
段　段

14c　16.5c
40　46
段　段

2.5c（8
段

5.5c　6c　6c　5.5c
(11目)(12目)(12目)(11目)
（1目ゴム編み）
うしろと同じ
5c　14　2段平
（18　段　2-1-5
目）　4　2-3-1
（4　段　段　回　目
段）　　　（4目）
（8目）伏せ目
前
6号針
（メリヤス編み）a色
（模様編み）
(−10目)　　　　　(−10目)
20　33c(66目)　20
段　　　　　　　　段
（2目ゴム編み）5号針a色
(66目)作る

表示方法の普通＝12ヶ月・共通部分
表示方法の**太字**＝18ヶ月

●用意するもの
糸…ハマナカ　かわいい赤ちゃん（並太タイプ）
15 グリーン(19)70g＝2玉、生成り(2)20g＝1玉、
16 黄(11)80g＝2玉、生成り(2)20g＝1玉。
針…棒針6号、5号、5／0号。
●出来上がり寸法
胸囲66cm、背肩幅27cm、丈29.5cm(33cm)、
※（ ）内は18ヵ月、指定以外は12ヵ月と同寸
●ゲージ
10cm平方で模様編み・メリヤス編みとも20目×28段。
●編み方ポイント
うしろ・前　裾から指でかける作り目をして編み始めます。模様編みは10段までの2段ごとの縞は端で糸を続けて編み、配色の境で4目ごとに浮き目をして糸を表側に渡して編みます。袖ぐりは2目以上の減目は伏せ目、1目は端1目立てる減目にします。前はあき位置の4段下から1目ゴム編みにしてあき位置からは左右に分け、糸のある右側から先に編み、肩は休み目にします。次に糸をつけて左側を編みます。
まとめ　肩は中表に合わせてかぶせはぎ、脇はすくいとじにします。衿・袖ぐりは拾い目して2目ゴム編み4段、メリヤス編み2段編み、編み終わりは伏せ止めにします。身頃の指定位置にクロス・ステッチをします。衿は図のように鎖編みを通し、ひもの両端にボンボンを作ってつけます。

衿・袖ぐり a色

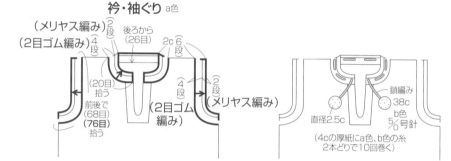

（メリヤス編み）2　後ろから　2c 6
（2目ゴム編み）4　（26目）　段
段　　　　　　　　　4
（20目）　　　　　段　2
拾う　　　　　　　（メリヤス編み）
前後で　（2目ゴム編み）
（68目）
（76目）
拾う

鎖編み
38c
直径2.5c　b色
5／0号針
（4cの厚紙にa色、b色の糸
2本どりで10回巻く）

配色

	12カ月	18カ月
a色	グリーン	黄
b色	生成り	生成り

クロス・ステッチの刺し方

① 3出　2入
　　×
　1出　4入

② 7出　6入　　2
　　×　　　×
　5出　8入　1　4
　1から4をくり返す

□＝Ⅰ 表目

衿

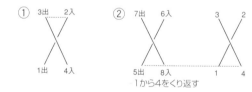

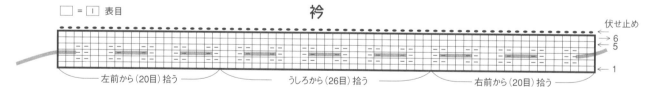

伏せ止め
←6
←5
←1

←左前から(20目)拾う→　←うしろから(26目)拾う→　←右前から(20目)拾う→

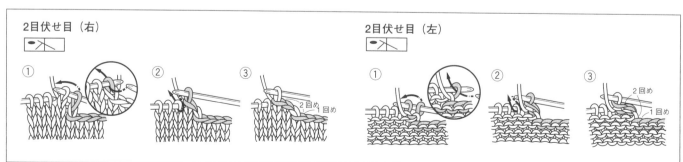

2目伏せ目（右）
①　②　③　2回め　1回め

2目伏せ目（左）
①　②　③　2回め　1回め

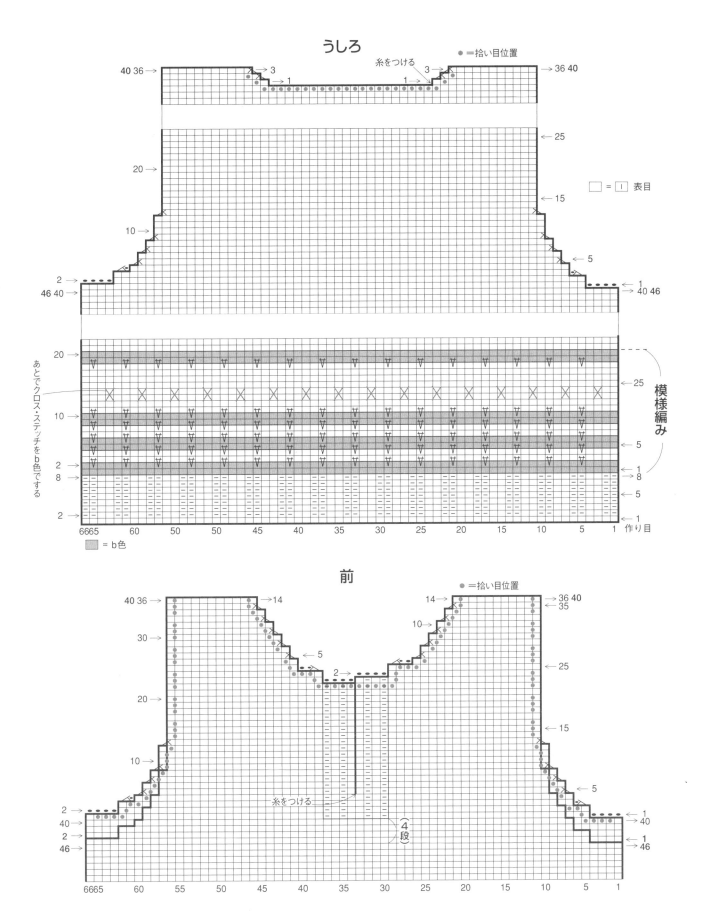

うしろ

● =拾い目位置

糸をつける

□ = □ 表目

あとでクロス・ステッチをb色でする

模様編み

= b色

前

● =拾い目位置

糸をつける

(4段)

17
20page

18〜24カ月

●用意するもの
糸…ハマナカ かわいい赤ちゃん＜プチモール＞
（並太タイプ）
水色(105)[ポンチョ80g、帽子50g]130g＝4玉、
白(101)[ポンチョ・帽子各10g]20g＝1玉。
針…棒針6号、5号、かぎ針5／0号。

●出来上がり寸法
ポンチョ　丈64cm、帽子　頭回り42cm、深さ
18cm。

●ゲージ
10cm平方でメリヤス編み20目×28段。

●編み方ポイント
ポンチョ　編む糸で鎖編みを160目作り、鎖の裏山
を拾ってメリヤス編みでまっすぐ36段編みます。合印
の26目と36段を目と段のはぎでつなぎ、ガーター編
みで図を参照して減目しながら80目拾って輪に編み
ます。続けて2目ゴム編みにし、27段めからは白を配
色して編みます。編み終わりはゆるめに、伏せ止めを
します。裾は輪に縁編みで45模様拾って2段編みます。
帽子　指でかける作り目で84目作り、輪にして1目ゴ
ム編み縞から編みます。トップは37段までは増減なく
輪に編み、38段で全目を2目一度の減目をして42
目に、42段めで同要領に減目して21にして、目の
中に糸を2回通してしぼります。トップにボンボンをつ
けます。

帽子（メリヤス編み）水色　6号針

（21目）に糸を通して
しぼる

1段平
4-21-1
37-42-1

等分減目（−63目）

15c
42
段

42c（84目）

3c
10
段

（84目）作り、輪にする

（1目ゴム編み縞）5号針

縞の配色

水色	(2)段
白	4段

直径8cの
ボンボン
（10cm幅の厚紙に
白30回、水色40回巻く）

衿（2目ゴム編み縞）

（−12目）図参照　5号針

34c（68目）

（ガーター編み）
水色　5号針
（−54目）

40c（80目）

13c（26目）

67c（134目）

11.5c
34
段

10
3c段

13c
36
段

ポンチョ（メリヤス編み）
水色　6号針

80c（160目）作る

◎印を合わせて目と段ではぐ

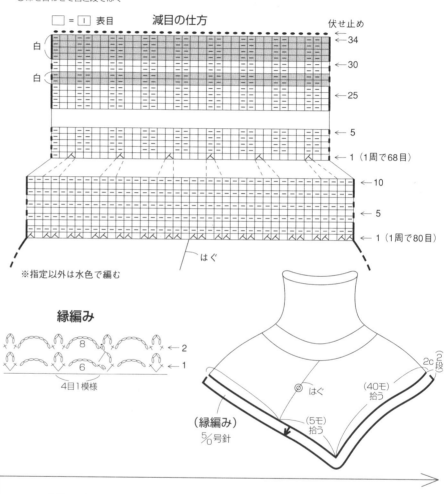

□ ＝ |　表目　　**減目の仕方**　　伏せ止め

白

白

←34
←30
←25
←5
←1（1周で68目）
←10
←5
←1（1周で80目）

はぐ

※指定以外は水色で編む

縁編み

8
6
←2
←1

4目1模様

（縁編み）
5／0号針

◎　はぐ
（40モ）拾う
（5モ）拾う
2c
段

19 ミトン（模様編みB）5／0号針

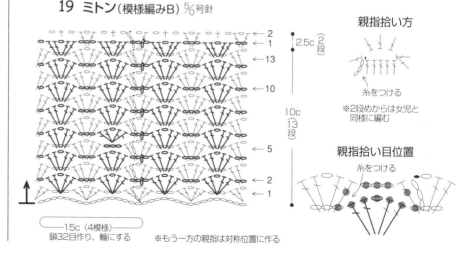

←2
←1
←13
←10
←5
←2
←1

2.5c
2段

10c
13段

15c（4模様）
鎖32作り、輪にする

親指拾い方

糸をつける

※2段めからは女児と
同様に編む

親指拾い目位置

糸をつける

※もう一方の親指は対称位置に作る

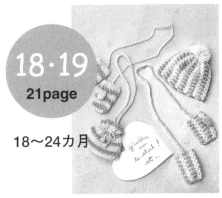

18·19
21page

18〜24カ月

●用意するもの
●用意するもの
糸…ハマナカ　かわいい赤ちゃん（並太タイプ）
18　ピンク(4)[ポシェット・ミトン]40ｇ＝1玉、
濃いピンク(12)[ポシェット・ミトン]20ｇ＝1玉。
19　水色(6)[帽子・ミトン]40ｇ＝1玉、黄緑(14)[帽
子・ミトン]40ｇ＝1玉。
針…かぎ針5／0号、7／0号。
●出来上がり寸法
18　ポシェット　幅15cm、深さ13.5cm、ミトン
手首回り15cm、丈11cm、19　帽子　頭回り45cm、
深さ16.5cm、ミトン　手首回り15cm、丈11.5cm。
●編み方ポイント
ポシェット　底で鎖16目作り、1段めは鎖の半目と裏
山を拾い、反対側は鎖の残った目を拾って作り目を
一周します。2段めは両側で増し目をして60目にします。
側面　はこいピンクを配色し、模様編みでぐるぐる編み、
配色糸は切らずに渡していきます。ひもは11段めの
細編みの足に通し、両脇につりひもをつけます。
ミトン(18)　鎖30目作り、輪にして鎖の裏山を拾って
模様編みAでぐるぐる編み、親指位置は鎖4目編みま
す。　先は減目し、残った目を2枚合わせて巻きかがり
にします。親指は指定位置から図のように拾って10
目を輪に3段編み、10目に糸を通してしぼります。ひ
もは甲の裏側にとじつけます。
ミトン(19)　鎖32目作り、輪にして鎖の半目と裏山を
拾って模様編みBで図のように編みます。まとめは18
のミトンと同要領にします。
帽子　かぶり口で鎖96目作り、輪にしてミトンと同様
に拾って17段までは輪に増減なく、ぐるぐる編みます。
トップの6段で図を参照して減目をし、残った12目に
糸を通してしぼります。

模様編みB

黄緑
黄緑
黄緑
黄緑
黄緑

← 4
2　← 3
段　← 2
1　← 1
模
様

8目1模様　　※指定以外は水色で編む

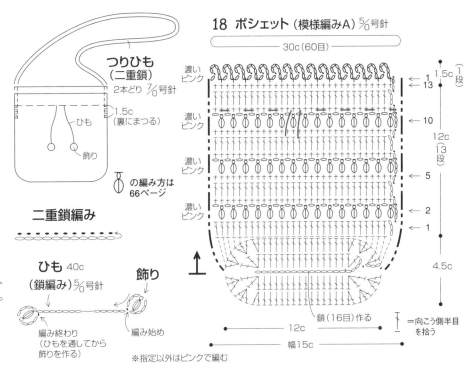

つりひも
（二重鎖）
2本どり　7／0号針

1.5c
（裏にまつる）

ひも

飾り

の編み方は
66ページ

二重鎖編み

ひも　40c
（鎖編み）5／0号針

編み終わり
（ひもを通してから
飾りを作る）

飾り

編み始め

親指（長編み）

(10目)に
糸を通してしぼる

← 3
← 2　3.5c
← 1

糸をつける

※指定位置から拾う

親指拾い目位置

糸をつける

19

残った12目に
糸を通してしぼる

等分減目

帽子
（模様編みB）
5／0号針

4.5c（6段）
12c
17段

45c（12模様）
鎖96目作り、輪にする

直径8cの
ボンボン
（10cm幅の厚紙に
黄緑を100回巻く）

18　ポシェット（模様編みA）5／0号針

30c（60目）

濃い
ピンク
濃い
ピンク
濃い
ピンク
濃い
ピンク

1.5c（1段）
← 13　1

← 10

12c
（13段）

← 5

← 2　2
← 1

4.5c

鎖（16目）作る

12c

＝向こう側半目
を拾う

幅15c

※指定以外はピンクで編む

18　ミトン（模様編みA）5／0号針

濃い
ピンク

濃い
ピンク

濃い
ピンク

濃い
ピンク

3
← 1　2.5c（3段）
← 10

8c
（10段）

← 5

← 2　2
← 1

← 1　0.5c（1段）

15c鎖（30目）作り
輪にする

（細編み）
※鎖半目を拾う

幅7.5c

※もう一方の親指は対称位置に作る

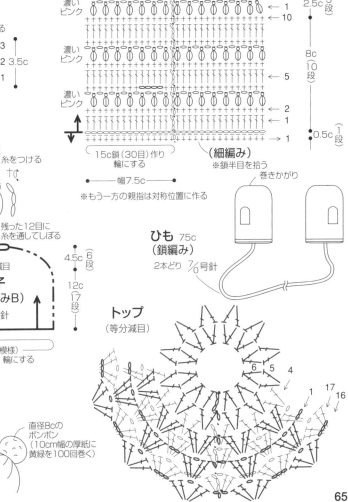

巻きかがり

ひも　75c
（鎖編み）
2本どり　7／0号針

トップ
（等分減目）

6　5　4

1　17
16

20・21
22page

20＝12カ月
21＝18カ月

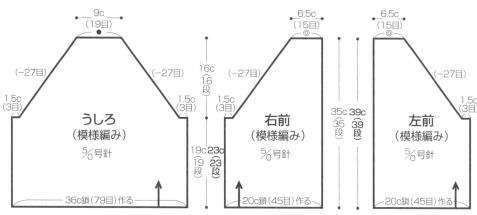

うしろ
（模様編み）
5/0号針

9c（19目）
1.5c（3目）
（−27目）
16c（16段）
19c（19段）
36c鎖（79目）作る

右前
（模様編み）
5/0号針

6.5c（15目）
1.5c（3目）
（−27目）
35c（35段）
23c（23段）
20c鎖（45目）作る

左前
（模様編み）
5/0号針

6.5c（15目）
1.5c（3目）
（−27目）
39c（39段）
20c鎖（45目）作る

●用意するもの
糸…ハマナカ エクストラファイン＜スリム＞（合太タイプ）
20 生成り(302)290g＝8玉、
21 キャメル(304)310g＝8玉。
付属品…直径18mmのボタン各4個。
針…かぎ針5／0号。
●出来上がり寸法
胸囲72cm、ゆき丈36cm(40cm)、丈35.5cm(39.5cm)。
※( )内は18ヵ月、指定以外は12ヵ月と同寸
●ゲージ
10cm平方で模様編み22目×10段。
●編み方ポイント
うしろ　鎖79目作り、鎖の裏
山を拾って模様編みで編み
ます。ラグラン線は減目をしま
す。
右前・左前　鎖45目作り、左
右対称に2枚編みます。
袖　鎖53目作り、模様編み
で編みます。
まとめ　脇・袖下・ラグラン
線は中表に合わせ、「細編み
1目、鎖2目」で鎖とじにし、ま
ちの3目は巻きかがりにします。
袖口は輪に縁編みを2段編
みます。フードは拾い目して模
様編みでまっすぐ24段編み、
中表に合わせて細編みはぎ
にします。裾・前立て・顔回り
は続けて縁編みを2段編みます。
飾りは細編みで2枚編み、指
定位置に飾りボタンでつけ、
もう一方はボタンをつけます。

うしろ

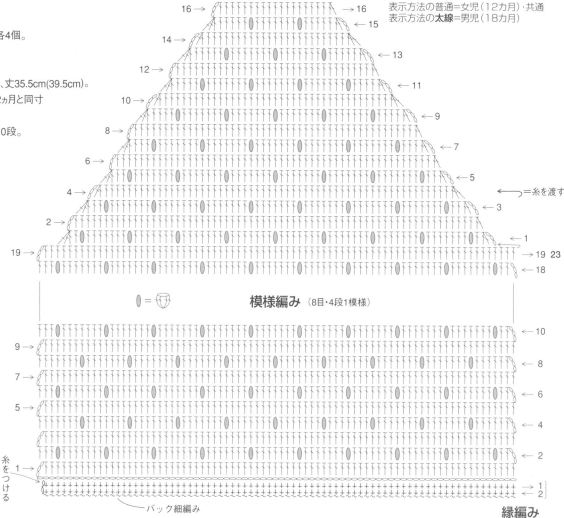

表示方法の普通＝女児（12カ月）・共通
表示方法の**太線**＝男児（18カ月）

←＝糸を渡す

● ＝ 変わり玉編み目

模様編み（8目・4段1模様）

バック細編み

糸をつける

縁編み

●65ページからの続き

 変わり玉編み目

① 針に糸をかけ、1目から未完成の中長編みを3目編みます。

② 針に糸をかけ、針の6ループを一度に引き抜きます。

③ 針に糸をかけ、残りのループを引き抜きます。

④ 頭がきちんとしまって編み上がります。

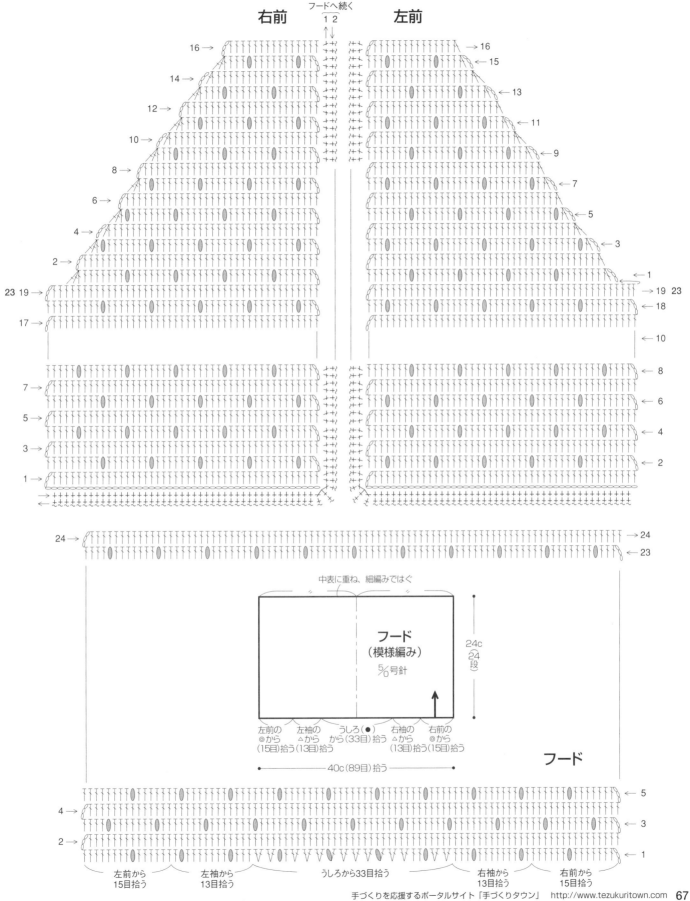

右前　フードへ続く　1　2　左前

袖

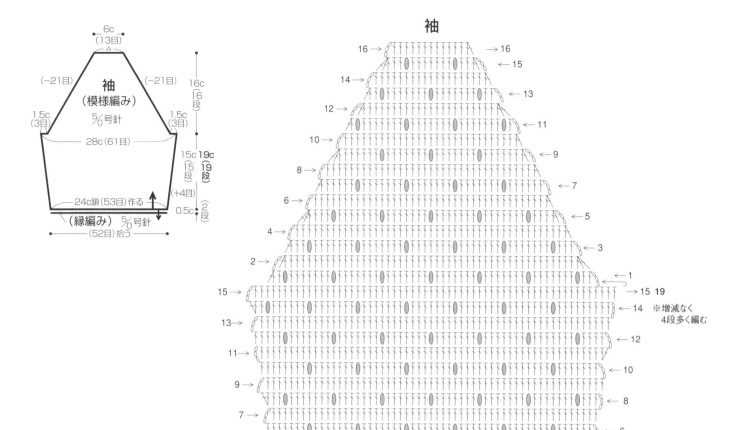

袖（模様編み）

6c (13目)

(−21目)　袖（模様編み）　(−21目)
5/0号針

1.5c (3目)　　　1.5c (3目)

28c (61目)

16c 16段

15c 15段　19c 19段

24c鎖 (53目) 作る

(縁編み) 5/0号針

(52目) 拾う

(+4目)

0.5c 2段

16 → ← 16
← 15
14 → ← 13
12 → ← 11
10 → ← 9
8 → ← 7
6 → ← 5
4 → ← 3
2 → ← 1
15 → ←15 19
← 14　※増減なく 4段多く編む
13 → ← 12
11 → ← 10
9 → ← 8
7 → ← 6
5 → ← 4
3 → ← 2
1 →
← 1 } 縁編み
← 2 }
バック細編み

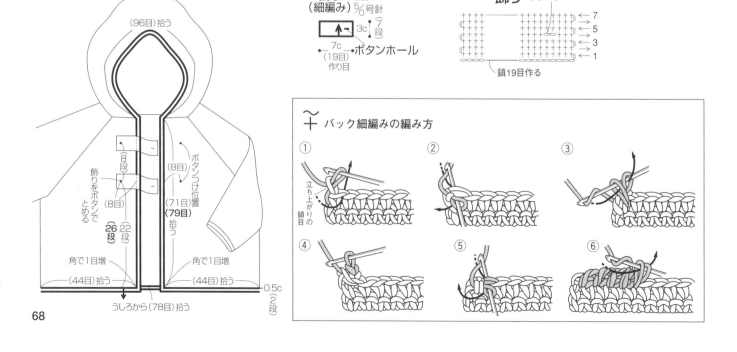

裾・前立て・顔回り（縁編み）

5/0号針

(96目) 拾う

(8段)

飾りをボタンでとめる

(8段)

(8目)

ボタンつけ位置

(8目)

ボタンホール位置

(71目) (79目) 拾う

26段 22段

角で1目増　　角で1目増

(44目) 拾う　　(44目) 拾う

うしろから (78目) 拾う

0.5c (2段)

飾り（細編み）2枚
5/0号針

3c 7段

7c (19目) 作り目　ボタンホール

飾り

ボタンホール

7 → ← 7
5 → ← 5
3 → ← 3
1 → ← 1

鎖19目作る

～ バック細編みの編み方

① 立ち上がりの鎖目の
②
③
④
⑤
⑥

68

●72ページからの続き

右袖

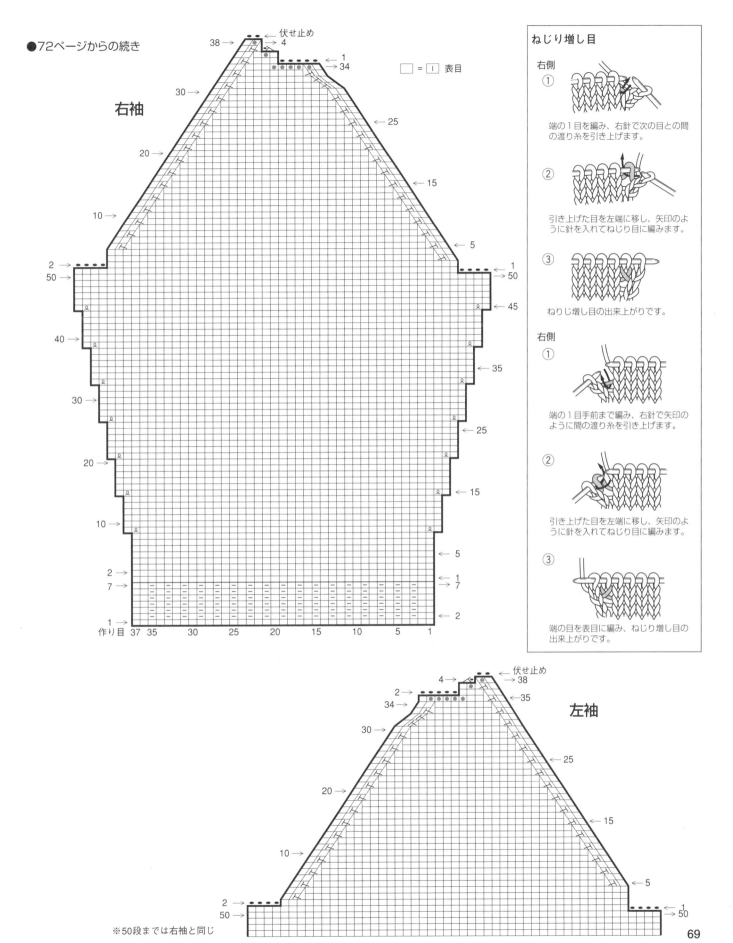

ねじり増し目

右側

① 端の1目を編み、右針で次の目との間の渡り糸を引き上げます。

② 引き上げた目を左端に移し、矢印のように針を入れてねじり目に編みます。

③ ねりじ増し目の出来上がりです。

右側

① 端の1目手前まで編み、右針で矢印のように間の渡り糸を引き上げます。

② 引き上げた目を左端に移し、矢印のように針を入れてねじり目に編みます。

③ 端の目を表目に編み、ねじり増し目の出来上がりです。

□ = Ｉ 表目

伏せ止め

左袖

※50段までは右袖と同じ

69

●用意するもの

糸…ハマナカ キューピッド(中細タイプ)

22 濃いピンク(9)70g＝2玉、白(1)30g＝1玉、

23 ブルー(10)80g＝2玉、白(1)35g＝1玉。

付属品…ボタン直径 22＝13mmを4個、23＝15mmを4個。

針…かぎ針3／0号。

●出来上がり寸法

胸囲65.5cm、背肩幅25cm、丈32.5cm。

●ゲージ

10cm平方で模様編み4.5模様×19段。

●編み方ポイント

うしろ 裾からa色で鎖85目作り、鎖の裏山を拾ってa色とb色を交互に毎段配色して模様編みで編みます。編み方向は糸がある方から続けて編みます。

右前・左前 鎖43目作り、うしろと同様に拾って模様編みで編み、対称に2枚編みます。

まとめ 肩はa色で図のようにはぎ、脇は中表に合わせ、「細編み1目、鎖3目」の鎖とじにします。裾・前立て・衿・袖ぐりは身頃から拾って、女児は縁編みA、男児は縁編みBでそれぞれ編みます。同色の糸でボタンをつけて仕上げます。

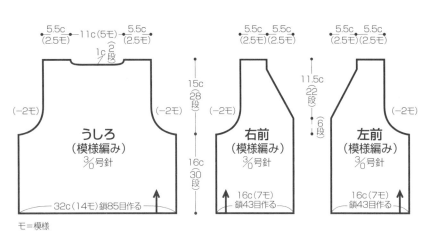

モ＝模様

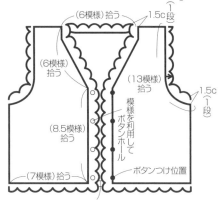

裾・前立て・衿・袖ぐり（縁編みA）3／0号針

後ろから(14模様)拾う

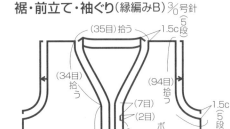

裾・前立て・袖ぐり（縁編みB）3／0号針

配色	女児	男児
a色	濃いピンク	ブルー
b色	白	白

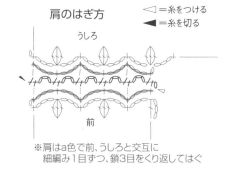

肩のはぎ方

▷＝糸をつける
◀＝糸を切る

うしろ

前

※肩はa色で前、うしろと交互に
細編み1目ずつ、鎖3目をくり返してはぐ

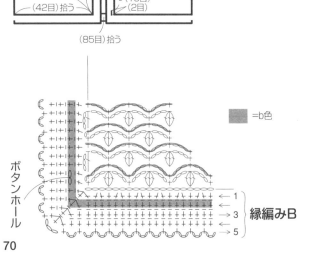

=b色

ボタンホール

縁編みB

長編み3目の玉編み目

① 立ち上がりの3目

作り目－1目 台の目

立ち上がりは3目です。まず、未完成の長編みを1目編みます。

② 同じ目に針を入れて未完成の長編みをあと2目編みます。

③ 未完成の長編み

針に糸をかけ、矢印のように4ループを一度に引き抜きます。

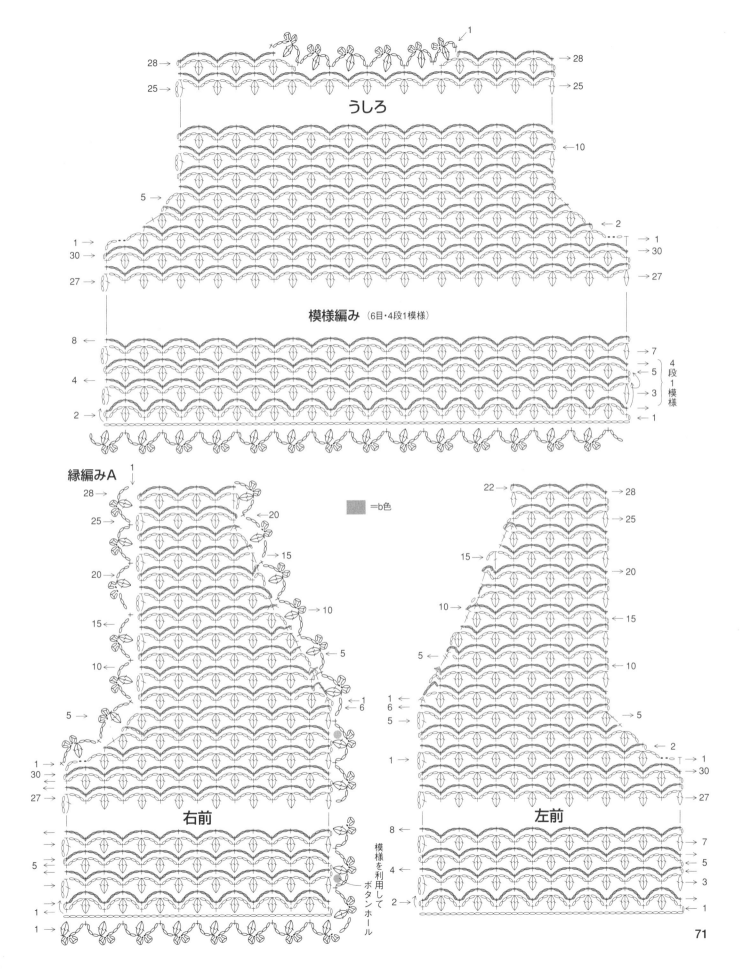

うしろ

28 →
25 →

← 10
5 →
← 2

1 →
30 →
→ 1
→ 30
27 →
→ 27

模様編み（6目・4段1模様）

8 ←
→ 7
→ 5 } 4段1模様
4 ←
→ 3
2 →
← 1

縁編みA

28 →
25 →
← 20
→ 15
20 →
→ 10
15 →
→ 5
10 →
← 1
6
5 →

1 →
30 →
27 →

右前

←
5 ←
←
←
1 ←
1 →

=b色

22 →
→ 28
→ 25
15 →
→ 20
10 →
← 15
5 ←
← 10
1 ←
6 →
5 →
→ 5
← 2
1 →
→ 1
→ 30
→ 27

左前

8 ←
→ 7
→ 5
4 ←
→ 3
2 →
← 1

模様を利用してボタンホール

71

24·25
26page

24＝18カ月
25＝24カ月

●用意するもの
糸…ハマナカ フェアレディー50(並太タイプ)
24 サーモンピンク(74)80g＝2玉、にぶピンク(51)70g＝2玉、
25 ブルーグリーン(54)140g＝4玉、生成り(2)20g＝1玉。
針…棒針7号、6号、かぎ針5／0号。
●出来上がり寸法
胸囲66cm、ゆき丈39cm、丈32.5cm(34cm)、
※( )内は24カ月、指定以外は18カ月と同寸
●ゲージ
10cm平方でメリヤス編み・縞とも21目×27段。
●編み方ポイント
うしろ 裾から指でかける作り目をして編み始め、2段
めが表側になるように2目ゴム編みを7段編みます。

ラグラン線は4目の伏せ目をし、端から2目めと3目めで
2目一度の減目をしていきます。
右前・左前 うしろと同様の作り目をして編み始め、
前立ては裾から続けて1目ゴム編みで編みます。前
端は すべり目にし、女児は右前立てに、男児は左前
立てにボタンホールを作ります。
袖 同要領の作り目で編み始め、袖下は1目内側の
渡り糸をねじって増し目します。ラグラン線は同要領
に減目し、対称に2枚編みます。
まとめ ラグラン線・脇・袖下はすくいとじにします。
衿は衿ぐりから拾い目して1目ゴム編みで5段編み、
編み終わりは裏側から伏せ止めにします。ボタンは図
のように編み、指定位置につけます。

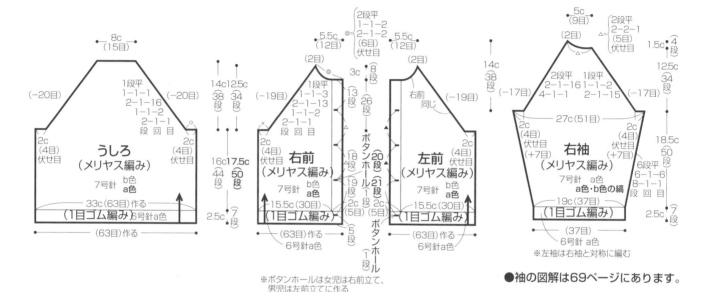

●袖の図解は69ページにあります。

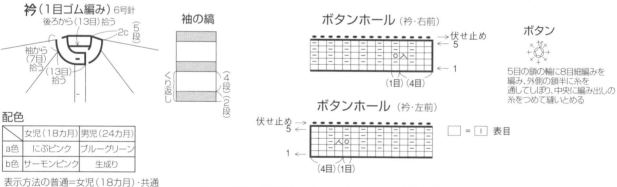

配色

	女児(18カ月)	男児(24カ月)
a色	にぶピンク	ブルーグリーン
b色	サーモンピンク	生成り

表示方法の普通＝女児(18カ月)・共通
表示方法の**太線**＝男児(24カ月)

ボタン
5目の鎖の輪に8目細編みを
編み、外側の鎖半に糸を
通してしぼり、中央に編み出しの
糸をつめて縫いとめる

□ ＝ □ 表目

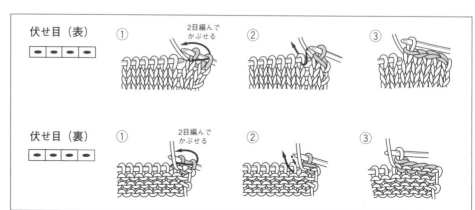

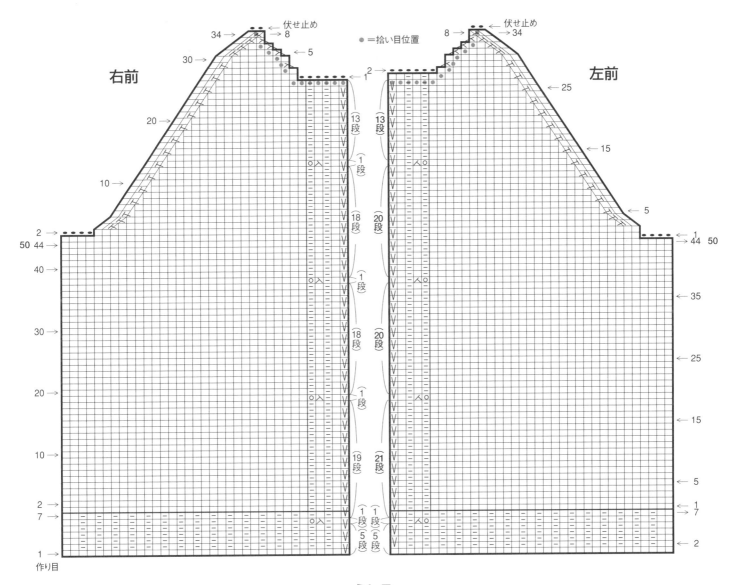

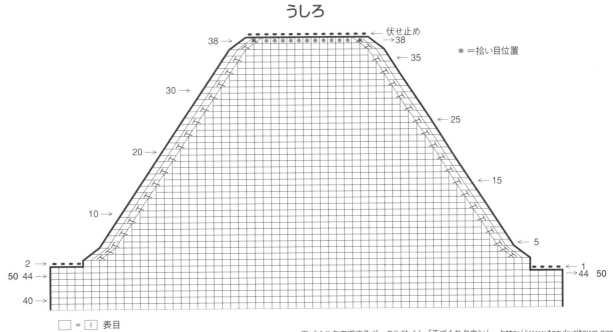

26

28page

18カ月前後

●用意するもの
糸…ハマナカ フェアレディー50(並太タイプ)
モカ茶(65)[ジャケット190g、パンツ100g]290g＝8玉。
生成り(2)[ジャケット25g、パンツ15g]40g＝1玉。
付属品…直径18mmのボタン4個、15mm幅のゴム
テープ45cm。
針…棒針5号、4号。
●出来上がり寸法
ジャケット 胸囲72.5cm、背肩幅30cm、丈34cm、
袖丈25cm、パンツ 胴回り40cm、丈31cm。
●ゲージ
10cm平方で表6目・裏1目のゴム編み21目×27段。

●編み方ポイント
ジャケット うしろ・前とも別鎖の作り目をして編み始
めます。前は前立てを1目ゴム編みにして身頃と続け
て編み、左前立てにはボタンホールを作ります。前は
対称に2枚編みます。袖は身頃と同様の作り目で編
み始め、袖下は1目内側の目を右増し目、左増し目で
増やします。
まとめ 裾・袖口は別鎖をほどいて棒針に移し、表
側から引き抜き止めにします。肩は中表に合わせて
かぶせはぎ、脇・袖下はすくいとじにします。衿は身頃
の表側から拾い、2段めが衿の表側になります。袖
は身頃に引き抜きとじでつけます。

うしろ

● ＝拾い目位置

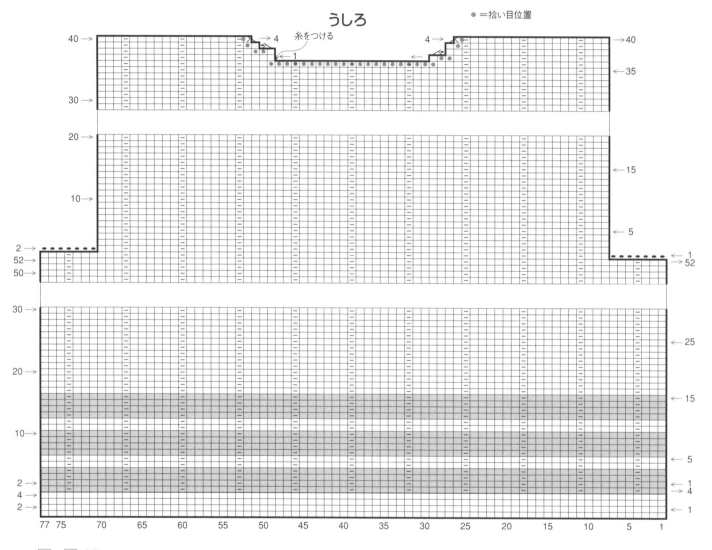

□ = |I| 表目

▨ = 生成り

ボタンホールの編み方

＝1.2の目はそのまま右針に移し、1の目を2の目の上を通して針からはずし、
かけ目、左上2目一度と編む。次段で、かけ目をねじり表目、ねじり裏目と編
み、ボタンホールを作る。

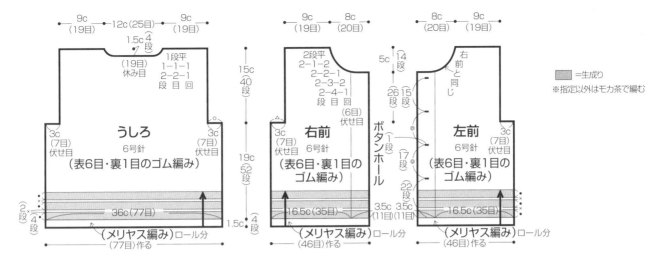

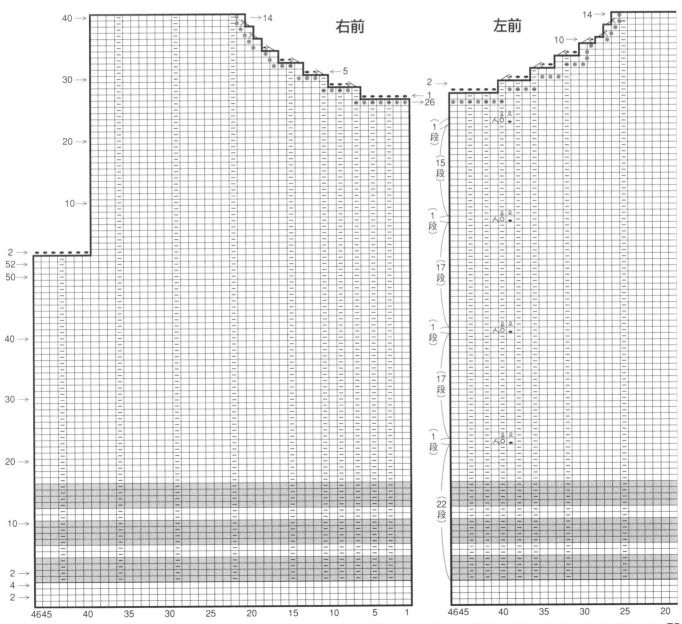

袖

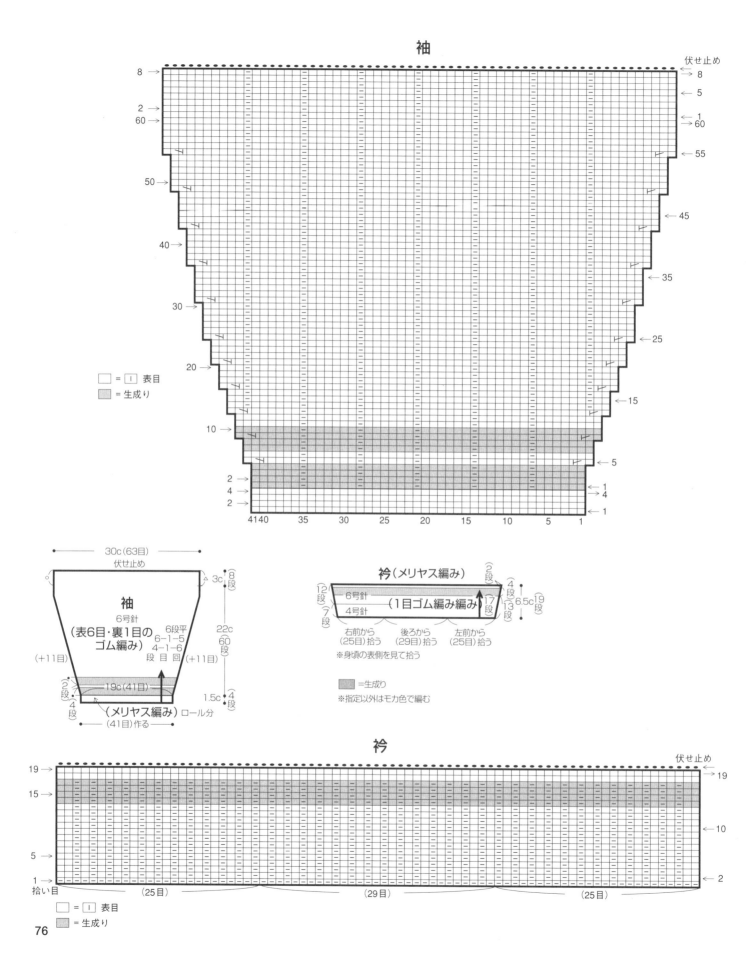

□ = □ 表目

▨ = 生成り

30c（63目）
伏せ止め

袖
6号針
（表6目・裏1目の
ゴム編み）

6段平
6-1-5
4-1-6
段 目 回

3c｛(8)段｝

22c
60段

19c（41目）
（メリヤス編み）ロール分
（41目）作る

1.5c｛4段｝

（+11目）

衿（メリヤス編み）

6号針
4号針
（1目ゴム編み編み）

右前から
（25目）拾う
後ろから
（29目）拾う
左前から
（25目）拾う

※身頃の表側を見て拾う

▨ ＝生成り

※指定以外はモカ色で編む

衿

伏せ止め

□ = □ 表目

▨ = 生成り

パンツ　別鎖の作り目で126目を輪にし、8段までは輪にぐるぐる編みます。うしろ上がりは図を参照して編み進みの引き返し編みで6段編みましたら、脇は輪に48段編みます。うしろ中央12目は続けて16段編み、前の12目とメリヤスはぎにします。足はまちと休み目から63目拾って輪に編み、編み終わりは伏せ止めにします。編み始めの別鎖をほどいて引き抜き止めにし、折り返してまつり、ゴムテープを通します。

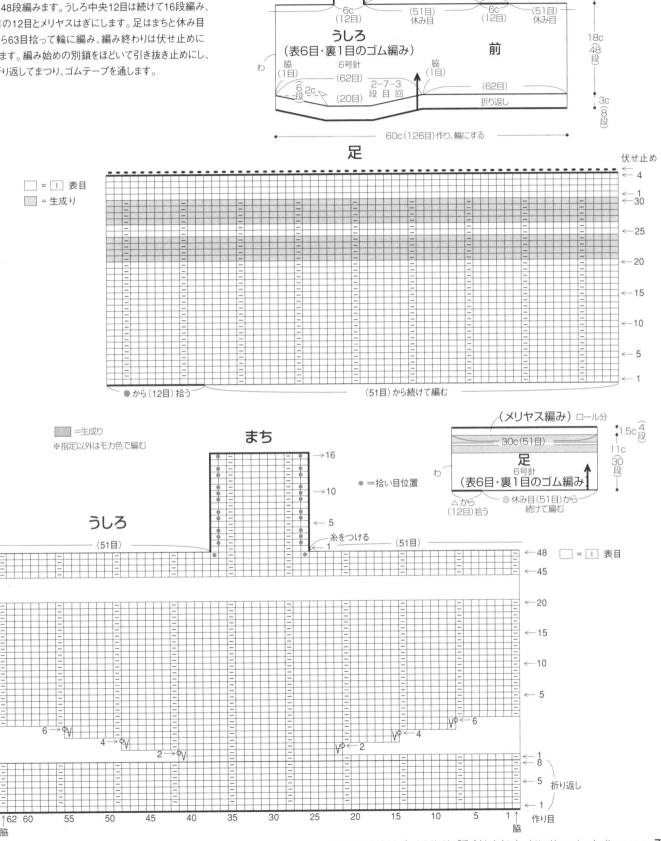

※ ●印を合わせてメリヤスはぎ

まち

6c
(12目)

うしろ
（表6目・裏1目のゴム編み）

前

(51目)
休み目

6c
(12目)

(51目)
休み目

6c 16段

18c 48段

3c 8段

わ

脇
(1目)

6 2c
一段

6号針

(62目)

(20目)

2-7-3
段目回

脇
(1目)

(62目)

折り返し

60c（126目）作り、輪にする

足

伏せ止め

□ = Ｉ 表目
= 生成り

●から（12目）拾う　　　　　　　　　　（51目）から続けて編む

= 生成り
※指定以外はモカ色で編む

まち

→16

→10

←5

←1
糸をつける

うしろ

●=拾い目位置

△から
（12目）拾う

(51目)

(51目)

（メリヤス編み）ロール分

30c（51目）

足
6号針
（表6目・裏1目のゴム編み）

わ

◎休み目（51目）から
続けて編む

1.5c 4段

11c 30段

←48

←45

←20

←15

←10

←5

←1
←8

←5

←1
作り目

折り返し

6 V
4 V
2 V

V ← 6
V ← 4
V ← 2

□ = Ｉ 表目

↑62 60　　55　　50　　45　　40　　35　　30　　25　　20　　15　　10　　5　　1↑
脇　　　　　　　　　　　　　　　　　　　　　　　　　　　　　　　　　　　脇

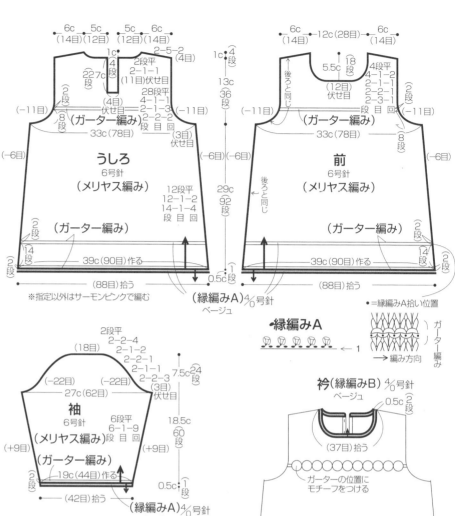

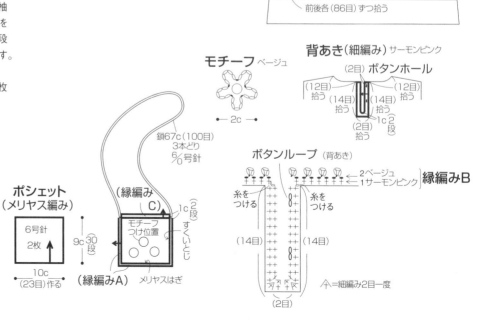

27
30page

24カ月前後

●用意するもの
糸…ハマナカ プルマージュ(並太タイプ)
サーモンピンク(12)[ワンピース160g、ポシェット10g]170g=
5玉、ベージュ(3)[ワンピース20g、ポシェット5g]25g=1玉。
付属品…直径8mmの球形ボタン3個。
針…棒針6号、かぎ針4／0号、6／0号。
●出来上がり寸法
ワンピース 胸囲66cm、背肩幅24cm、丈43.5cm、
袖丈26.5cm、ポシェット 幅10cm、深さ10cm。
●ゲージ
10cm平方でメリヤス編み23目×32段。
●編み方ポイント
ワンピース 身頃は指でかける作り目で編み始め、メ
リヤス編みで編みますが、指定位置に2段のガーター
編みを入れます。脇は端1目立てる減目にし、袖ぐりは
2目以上は伏せ目、1目は脇と同様の減目をします。う
しろは背あき部分から、左右に分けて糸のある右側
から先に編み、肩は編み残しの引き返し編みにし、休
み目にします。左側は糸をつけて中央4目を伏せ目に
してから、続けて同要領に編みます。前も衿ぐりから
左右に分けて編みます。袖は身頃と同様の作り目で
編み始め、袖下は1目内側の渡り糸をねじって増し目
し、袖山は減目をします。まとめ 肩は中表に合わせ
てかぶせはぎ、脇、袖下はすくいとじにします。裾・袖
口と裾から18段めのガーター編み位置に縁編みAを
輪に編みます。背あきはサーモンピンクで細編2段
編み、ボタンループを作り、衿は縁編みBで編みます。
胸のガーター編み位置にモチーフをつけます。
ポシェット 同様の作り目をしてメリヤス編みで2枚
編み、図のようにまとめて作ります。

●袖の図解は60ページにあります。

縁編みC

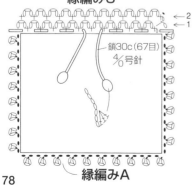

縁編みA

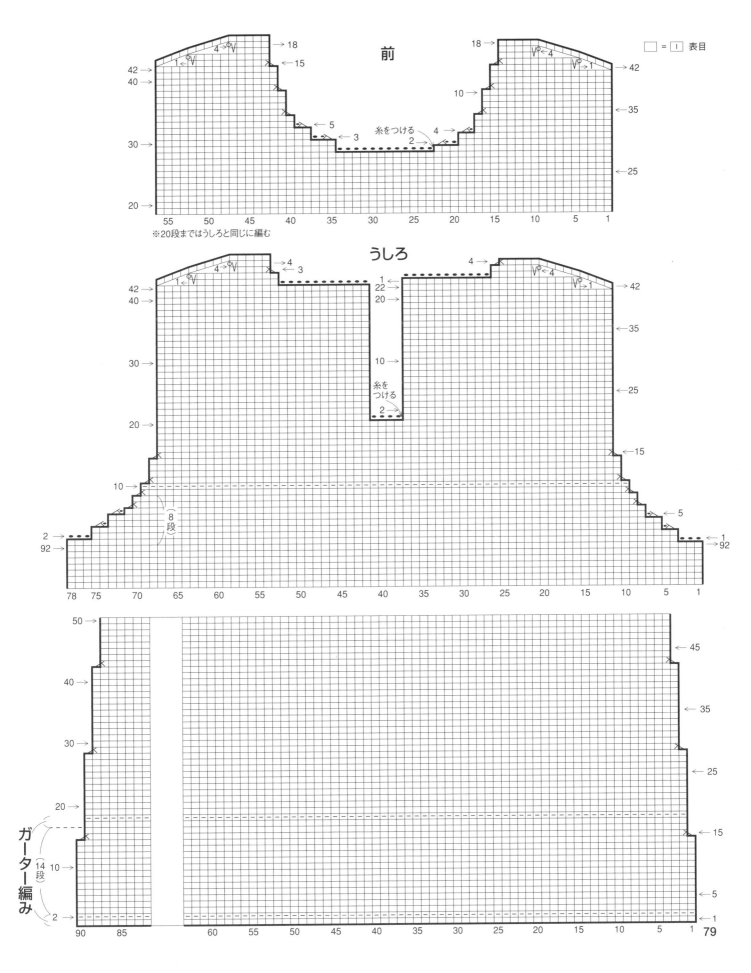

前

□ = | 表目

18
42
40
15
5
3
糸をつける
2
4
10
35
25
20
55 50 45 40 35 30 25 20 15 10 5 1

※20段まではうしろと同じに編む

うしろ

4
42
3
1
22
20
18
42
4
10
35
42
40
糸を
つける
2
30
10
25
20
15
10
8段
2
92
5
1
92
78 75 70 65 60 55 50 45 40 35 30 25 20 15 10 5 1

ガーター編み

50
45
40
35
30
25
20
15
（14段）
10
5
2
1
90 85 60 55 50 45 40 35 30 25 20 15 10 5 1

79

28·29
32page

24カ月前後

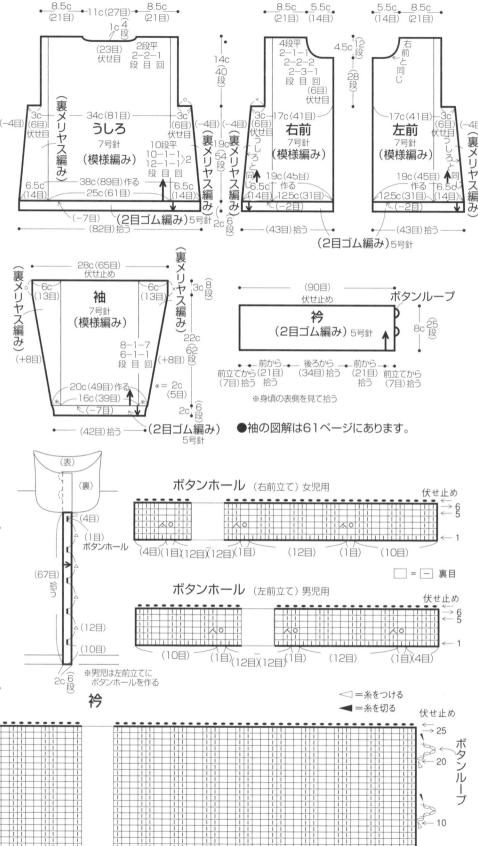

●用意するもの
糸…ハマナカ かわいい赤ちゃん＜プチモール＞
（並太タイプ）
28クリーム色（103）、29 水色（105）
［ジャケット210g、帽子40g］250g＝7玉、
付属品…直径15mmのボタン各7個。
針…棒針7号、5号。
●出来上がり寸法
胸囲70cm、背肩幅28cm、丈35cm、袖丈27cm。
●ゲージ
10cm平方で裏メリヤス編み縞21目×28段、模
様編み24.5目×28段。
●編み方ポイント
ジャケット　うしろ・前・袖とも2目ゴム編み切り替え
位置で別鎖の作り目をして編み始め、うしろ・前は脇
で端1目立てる減目し、袖ぐりは伏せ目にして、肩は休
み目にします。前は左右対称に2枚編みます。袖下
の増し目は1目内側の渡り糸をねじ目に編みます。
まとめ　裾・袖口は別鎖をほどいて棒針に移し、2目
ゴム編みで6段編み、編み終わりは伏せ止めにします。
肩を中表に合わせかぶせはぎにします。袖は身頃に
目と段のはぎでつけ、脇・袖下をすくいとじにします。
前立ては身頃から拾って、2目ゴム編みにし、女児は
右前立てに、男児は左前立てにボタンホールを作り、
伏せ止めにします。次に、衿を拾って編み、端にボタ
ンループを作り、同様に止めます。
帽子　女児用は指でかける作り目でまっすぐ編み、2
つ折りにしてすくいとじにし、両端にボンボンをつけま
す。男児用は同様の作り目をして輪に編み、トップで
等分減目し、残った目をしぼってボンボンをつけます。

●袖の図解は61ページにあります。

ボタンホール（右前立て）女児用

ボタンホール（左前立て）男児用

□＝匚－］裏目

※男児は左前立てに
ボタンホールを作る

衿

◁＝糸をつける
◀＝糸を切る

□＝匚－］裏目

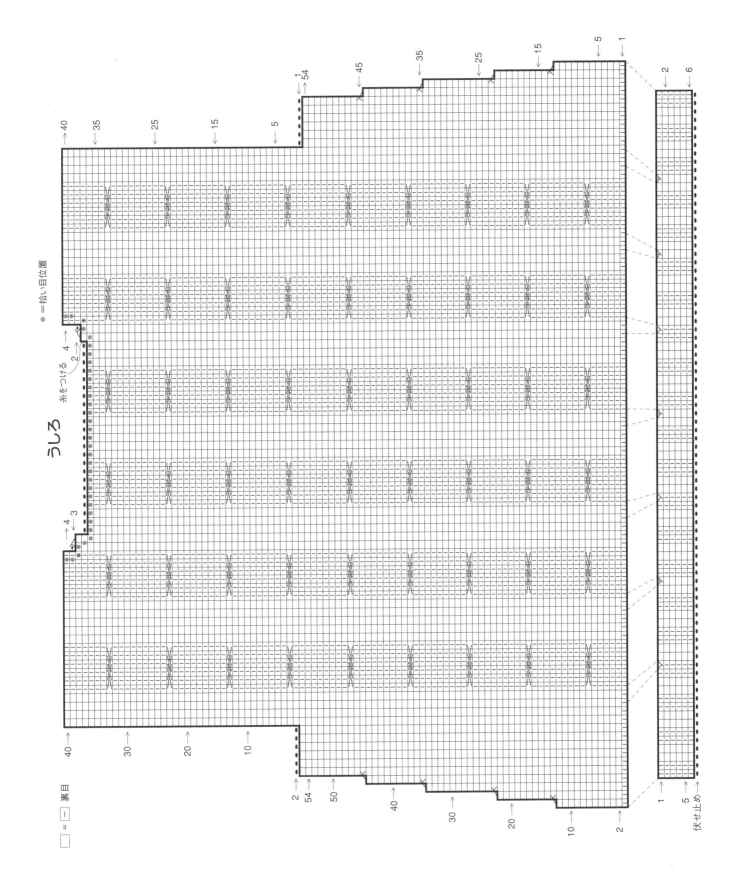

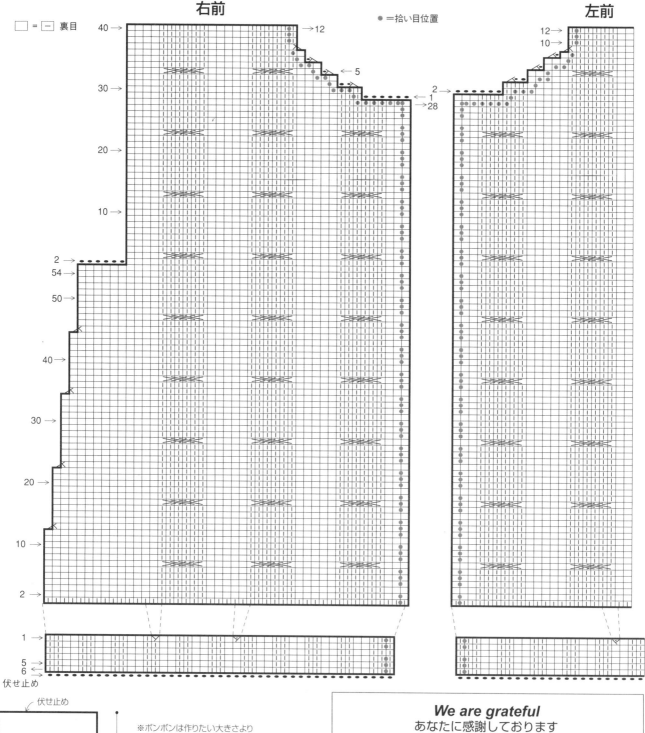

右前　　　　　　　　　　　●=拾い目位置　　　　左前

□ = □ 裏目

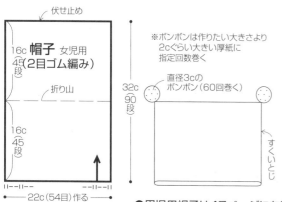

伏せ止め

16c 帽子 女児用
45 (2目ゴム編み)
段

折り山

16c
45
段

● ● 22c(54目)作る

※ボンボンは作りたい大きさより
2cぐらい大きい厚紙に
指定回数巻く

直径3cの
ボンボン(60回巻く)

すくいとじ

32c
90
段

●男児用帽子は47ページにあります。

We are grateful
あなたに感謝しております

手づくりが大好きなあなたが、この本をお選びくださいまし
てありがとうございます。
内容はいかがでしたでしょうか？　本書が少しでもお役に立
てば、こんなにうれしいことはありません。
日本ヴォーグ社では、手づくりを愛する方とのおつき合いを
大切にし、ご要望におこたえする商品、サービスの実現を常
に目標としています。
小社および出版物について、何かお気付きの点やご意見がご
ざいましたら、何なりとお申し出ください。
そういうあなたに、私共は常に感謝しております。

株式会社日本ヴォーグ社社長　瀬戸信昭
FAX03-3269-7874　voice@tezukuritown.com

8/25
発売

Let's knit series
手あみとニードルワークのオンリーワン・マガジン

毛糸だま
KEITO DAMA

2005秋号 no. 127
年4回刊／1・4・8・10月　各25日発売
定価1,260円　（本体価格1,200円）
NV1667　ISBN 4-529-04166-2　297mm×235mm

手あみのウエアを中心に毛糸の小物など、手づくりの楽しさ、素敵さを提案する編み物雑誌。この秋、リフレッシュして編み物シーズンのスタートを切ります。巻頭特集は「秋のフォークロアニット」ちょっと懐かしくて、優しいニットを紹介します。特別取材は「広瀬光治さんのニットワールド」。世界の編み物事情、楽しい連載エッセイ、展示会のレポートなど、興味深い情報もいっぱいです。

9/16
発売

Let's knit series

世界の編物

2005秋冬号
年2回刊／3・9月発売
定価1,680円　（本体価格1,600円）
NV4173　ISBN 4-529-04160-3　297mm×235mm

世界からあなたへ、ニット直行便。年に2回、世界のニットのトレンドと最新情報を紹介しています。ミラノ・パリのコレクション情報や素材情報も満載。

日本ヴォーグ社　〒162-8705
東京都新宿区市谷本村町3-23

日本ヴォーグ社の出版物は全国の書店・手芸店にて販売しております。もしお店にない場合でも、お取り寄せが可能です。お店の方にご注文ください。また、ヴォーグファミリークラブの通信販売でもお求めになれます。

本のお申し込みは
ヴォーグ
ファミリークラブ
にて承ります

TEL 0120-923-258
（受付時間9:00〜17:00、日・祝休）

FAX 0120-923-147
（24時間受付）

● お電話でご注文の際、商品コード（NV○○○○）をお申し付けください。
● 1回のご注文につき配送料の一部として315円（税込）のご負担をお願い申し上げます。
● 商品代金（税抜価格）が10,000円以上の場合、配送料は無料です。

NV4162

Let's knit series
美しい大人のニット
クチュールニット10
志田ひとみ 著
AB判／84頁
定価1,029円（本体980円）
●志田ひとみさんの好評シリーズ。ストレートヤーンを中心に、模様構成の美しさが光るセーター、ベスト、ジャケット、カーディガン、ストールなどベーシックアイテム20点で展開。

NV4159

Let's knit series
ミセスのセーター＆ベスト VOL.5
落ち着きの中にも華やかさがキラリ
AB判／100頁
定価1,100円（本体1,048円）
●ラメ入りスラブ糸のゴージャスなお出かけ着から、アフガン編みのニット、モヘアかぎ針ニット、美しい模様編み等、バラエティに富んだ作品で構成します。ニットならではの風合、色味、どれをとっても魅力いっぱいの作品を36点掲載。

NV4163

Let's knit series
ヨーロッパの手あみ 2005秋冬
ネオクラッシック・スタイルが新鮮
AB判／76頁
定価1,029円（本体980円）
●すべてM、L·2サイズ表示。輸入糸の美しい素材感を生かした作品です。手あみの醍醐味いっぱいの模様編みや工夫が生かされたセーターや帽子、ベスト、カーディガン、ポンチョ、ジャケットなど小物を含め26点掲載。

NV4164

Let's knit series
大人の上質ニット2
上質糸で編む、編みこたえのある
ミセスのセーターとおしゃれ小もの
AB判／84頁
定価1,029円（本体980円）
●手あみの醍醐味いっぱいの模様編みや工夫が生かされたセーターや帽子、プチマフラー等の小物を含め作品27点掲載。

NV4165

Let's knit series
ミセスの手あみ13
着心地を楽しむ上質ニット
AB判／92頁
定価1,029円（本体980円）
●カシミヤを中心とした高級糸を使った作品を特集。他に新しい感覚の伝統模様やおしゃれなベスト、ジャケットや小ものなど、大人の女性向けの秋冬ニットがたくさん。M、L·2サイズ表示。

NV4143

Let's knit series
おばあちゃんの手あみ 2005秋冬
AB判／100頁
定価1,100円（本体1,048円）
●ベーシックを基準に普段着としてのニットを提案。デザイン・素材・色合いを吟味して編みごころを誘う作品レディス21点、メンズ4点の25点。レディースはM、L 2サイズ表示。

NV4166

Let's knit series
かぎ針編みのモチーフがいっぱい
AB判／84頁
定価1,029円（本体980円）
●モチーフつなぎの楽しさが伝わるようなカラフルで魅力的な作品を40点ほど紹介。マフラー、帽子からストール・ポンチョ・ベスト、大きなものはソファカバーやブランケットまで。編み方、つなぎ方、仕上げ方まで写真入り、レッスン。

NV4170

Let's knit series
毛糸のこもの
おしゃれニットスタイル
AB判／68頁
定価819円（本体780円）
●編み物が初めてでも作品が仕上がるよう、簡単で単純な技法のこものを中心に展開。オリジナル感ができるよう、1つの作品の色違いも多く紹介。

NV6364

北欧のニットこものたち
嶋田俊之 著
AB変型判／88頁
定価1,260円（本体1,200円）
●TV出演や編み物講師として活躍中の著者が、北欧を旅して夢中になった手袋を中心に紹介する。作品は他にマフラー、帽子も含め19点掲載。二重編みや作り目の詳しいプロセスつき。嶋田さんが撮影した北欧の景色とエッセイが魅力。

NV6300

嶋田俊之のセーターブック
ニットに恋して
A4変型判／84頁
定価1,470円（本体1,400円）
●北英、北欧のデザインを基調とした伝統ニットを現代風にアレンジした17作品の提案。留学時や講習会時のエッセイが楽しい。

NV6169

Let's knit series
棒針編みとかぎ針編み
優しいベビー・ニット
ママからベビーに
はじめての贈りもの（0〜24カ月）
AB判／84頁
定価1,029円（本体980円）
●生まれてすぐに必要なベビードレス、胴着から、赤ちゃんの成長とともに必要なロンパース、ベスト、カーディガン、フードつきジャケットなど。モデルと静物写真でかわいく撮影しています。

NV4168

Let's knit series
ママとグランマに贈る
ベビーニット（0〜24カ月）
AB判／84頁
定価1,029円（本体980円）
●生まれてすぐのベビー用には、天然植物染めのエコーウールを、ベビーの成長とともにラムウール混の糸、ソフトナイロン・モールの糸など、ベビー・キッズ向けの糸でベビー・キッズに必要なニット。小ものなどをママとグランマの愛情ニットで展開する。

NV4171

Let's knit series
大人の男が着る
セーターとこもの
AB判／84頁
定価1,029円（本体980円）
●ウエアだけでなく、色替えでバリエーションをつけたマフラー＆帽子のセットを多数掲載。初心者でも完成できるよう、基礎も充実。セーターはM、L·2サイズ表示。

NV6201

カントリー・ニッティング
ソフトカバー版
下田直子 著
A4変型判／160頁
定価2,940円（本体2,800円）
●1990年刊行の同書のソフトカバー版。ゆったりとした景色の中に映えるオリジナルニットを、美しい写真で紹介。創作のヒントになる編み地のアップ写真も豊富です。ウエア21点とスカート、ブランケット、小物などを掲載。

NV6200

ニッティング・ファクトリー
ソフトカバー版
下田直子 著
A4変型判／176頁
定価2,940円（本体2,800円）
●1993年刊行の同書のソフトカバー版。美しい写真と魅力的なニットウエアで、豊かな時間の中で過ごすニットライフを綴ります。ウエア18点にクッション、手袋、帽子などの小物を加えて紹介。

NV4018

Let's knit series Start Series
はじめての手あみ
マフラーと帽子
AB判／52頁
定価725円(本体690円)
●人気のマフラーと帽子を、棒針編みのベーシックなものから、かぎ針編みのオシャレなものまで、バリエーション豊かに展開。

NV3995

Let's knit series Start Series
はじめての手あみ
手袋とくつ下
AB判／52頁
定価725円(本体690円)
●ちょっと難しそう…と敬遠されがちな手袋とくつ下。スタイルブックではなかなか紹介できないそれぞれの編み方をプロセスを追って詳しく解説。

NV4014

Let's knit series Start Series
はじめての手あみ
ベスト
AB判／52頁
定価725円(本体690円)
●はじめてベストに挑戦する人が、完成できるように、全図解、編み方カット・写真で丁寧に見せます。作品点数は6点。

NV4015

Let's knit series Start Series
はじめての手あみ
セーター
AB判／52頁
定価725円(本体690円)
●はじめてセーターに挑戦する人が、完成できるように、全図解、編み方カット・写真で丁寧に見せます。作品点数は6点。

NV4091

Let's knit series Start Series
はじめての手あみ
カーディガン
AB判／52頁
定価725円(本体690円)
●はじめてカーディガンに挑戦する方が必ず完成できるよう、図解、カット、写真でていねいに解説しています。

NV4105

Let's knit series Start Series
はじめてのかぎ針あみ
ベスト
AB判／52頁
定価725円(本体690円)
●前あき2型、かぶり1型の3型をそれぞれ素材、色替えで2色展開し、プロセス写真とイラストで詳細に解説。必ず完成できます。

NV4112

Let's knit series Start Series
はじめての手あみ
ベビーのウエアとこもの
AB判／52頁
定価725円(本体690円)
●生まれてくる可愛い赤ちゃんのために新米ママでも必ず完成できるよう、わかりやすいプロセスで解説しています。

NV4113

Let's knit series Start Series
はじめてのアフガンあみ
ベストとマフラー
AB判／52頁
定価725円(本体690円)
●ストールで素材の組み合わせや編み方を、ベストでアフガン編みの技法を写真、イラスト、図解で丁寧に解説。必ず作品が完成する。

NV6242

こんなときあんなとき
棒針あみなんでも
Q&A
AB判／84頁
定価1,050円(本体1,000円)
●気に入った作品を編むときの手引書として、Q&A形式でわかりやすく解説。針の持ち方、糸のかけ方から、編み図や模様図の見方、仕上げまでイラストを中心にていねいに答えます。

NV6204

こんなときあんなとき
かぎ針あみなんでも
Q&A
AB判／76頁
定価1,050円(本体1,000円)
●地模様、モチーフつなぎのウエアを中心テーマに、かぎ針編みをしていて気になったこと、わかりにくかったテクニックやポイントを、ていねいに解説。困ったときに役に立つ、頼れるお助けブックです。

NV5629

ヴォーグ基礎シリーズ
[改訂版]
新 棒針あみ
よくわかるセーター作りの基礎
AB判／80頁
定価1,030円(本体981円)
●棒針あみに使われる基礎中の基礎といえる技法を写真と大きな図解で針の動きをわかりやすく表示、解説したやさしい技術書。

NV5703

ヴォーグ基礎シリーズ
[改訂版]
新 かぎ針あみ
よくわかるかぎ針あみの基礎
AB判／80頁
定価1,030円(本体981円)
●初心者でもかぎ針あみの作品が編めるように、針の持ち方から仕上げまで、かぎ針あみのすべてを解説した1冊。

NV7181

ヴォーグ基礎シリーズ
新 模様の編み方 棒針あみ
記号の見方から応用パターンまで
AB判／68頁
定価866円(本体825円)
●棒針あみの模様116パターンとそれに使われる記号の編み方を図解。技法別に基本的な模様を多く紹介。

NV7003

ヴォーグ基礎シリーズ
新 棒針の模様
全ての模様の編みかた付き
AB判／68頁
定価907円(本体864円)
●やさしく編めて親しみやすい模様を選んで、初心者からベテランまで楽しめる模様集です。模様124点。

NV7180

ヴォーグ基礎シリーズ
新 手あみ
棒針あみとかぎ針あみの基礎
AB判／68頁
定価866円(本体825円)
●棒針あみとかぎ針あみの正しい基礎技法をイラストと写真でわかりやすく解説しています。技法146種。

あなたのお部屋が、手づくりの教室です。

小倉ゆき子のリボン刺しゅう

華やかなリボンの表情を生かした優雅なリボン刺しゅうを、はじめての方でも楽しく学べるビデオ講座です。

資料請求番号 0403-1023

テーマ1
ストレートローズのポーチ

テーマ2
フィッシュボーンのトートバッグ

テーマ3
3種のローズのソーイングケース

テーマ4
フラワーバスケットのミニ額

テーマ5
花のブローチ

テーマ6
花束とリボンのストール

リボン刺しゅうのサンプラー
（額は含まれません）

内容：テーマ作品6点＋サンプラーの材料一式、ビデオ2巻、用具、作品カード、テキスト、学習ガイドブック他

● 受講料（税込）
一括払い…48,300円
分割払い…7,200円×1回（初回） 4,800円×9回

● リボン、刺しゅう糸、布などの必要な材料は全てセットされています。ポーチやバッグは縫製済み、図案転写済みなので、リボン刺しゅうをして仕上げるだけ。

わかりやすく編集されたビデオ教材で、手の動きやリボンの引き具合などをじっくり見ながら、15種のステッチを学びます。

わかりやすいビデオ・レッスン！

尾上雅野 刺しゅうスクール

資料請求番号 0402-1023

6つの代表的な刺しゅうの基礎技法が学べる講座。ヨーロッパ刺しゅう、メタルワーク、カットワーク、ニードルポイント、リボン刺しゅう、毛糸刺しゅうの各テーマ作品を通し、基礎から応用までを徹底して学びます。

内容：布地各種、刺しゅう糸各種、額、用具、テキスト、実物大図案、学習ガイドブック他

● 受講料（税込）
一括払い…25,200円
分割払い…3,825円×1回（初回） 2,550円×9回

手あみ棒針あみ

資料請求番号 0102-1023

棒針編みだけを基礎からじっくりと学びたい方対象。割り出しや製図の仕方など、作品を作るのに必要な技法をレッスンします。マフラー、ベスト、プルオーバー、カーディガン、スカートを制作指導。

内容：テキスト、デザインノート、編み目グラフノート、ヴォーグメジャー、縮尺定規、添削指導券、学習ガイドブック他

● 受講料（税込）
一括払い…19,740円
分割払い…3,430円×1回（初回） 2,450円×7回

広瀬光治の編み物教室

資料請求番号 0106-1023

人気講師・広瀬光治さんが、初心者向けにやさしくビデオでレッスンします。ビデオではテーマごとに3人の生徒さんにわかりやすく実践指導。半日で編めるゆび編みのマフラーやベストから、かぎ針編みのスカート、棒針編みのセーターまで計8作品。

内容：ビデオ4巻、テキスト、実物大型紙、参考図書、学習ガイドブック他

● 受講料（税込）
一括払い…15,540円
分割払い…2,772円×1回（初回） 1,980円×7回

手あみ講座［初級コース］

資料請求番号 0103-1023

棒針編みとかぎ針編みの基礎を、ていねいにレッスン。棒針15点とかぎ針11点の作品について、基本のセーターから子供ものまで、幅広くじっくりと学べます。主に初心者を対象とした講座で、専任講師がやさしく指導いたします。

内容：テキスト、かぎ針編み実物大型紙、参考図書、添削指導券、学習ガイドブック他

● 受講料（税込）
一括払い…18,900円
分割払い…3,290円×1回（初回） 2,350円×7回

手づくりの
ことなら 手づくりタウン

www.tezukuritown.com

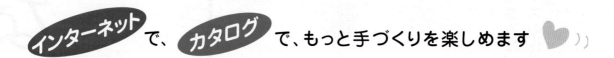

インターネット で、 カタログ で、もっと手づくりを楽しめます

手づくりタウン は日本ヴォーグ社が運営する 手づくり総合ホームページです。

手づくりの最新情報や新商品など、
24時間いつでも見られてお買い物も楽しめます。

http://www.tezukuritown.com

◆新刊情報
気になる新刊の発売日や内容をチェック

◆展示会情報
お近くのイベント情報を確認

◆編集者の日記
制作裏話や撮影現場の様子を
ネットで公開

◆商品情報
必要な本や欲しい材料も
まとめて一緒にお買い物

◆用語辞典
難しい専門用語も辞典で解決！

◆掲示板
手づくり仲間を見つけて
楽しくおしゃべり

★会員登録すると、さらにお得な情報やポイントが受け取れます。
　もちろん会員登録は無料です！

お買い物ポイント　　メルマガ配信　　プレゼント・
バーゲン企画　　etc...

インターネットで
楽しい手づくり生活、
はじめませんか？

手づくりのことなら「手づくりタウン」
http://www.tezukuritown.com
運営 ㈱日本ヴォーグ社 手づくりタウンカンパニー
〒162-8705 東京都新宿区市谷本村町3-23
TEL：03-5261-5080

『ヴォーグファミリークラブNews』は、 手づくりの通信販売カタログです。

お申込みいただいた方に、最新号を無料でプレゼント！

最新の
手芸情報を
お届けします

News 2005・夏号

和の小物

オリジナリティあふれる
新作キットがいっぱい！
いろいろな手づくり手芸が楽しめます。

「ヴォーグファミリークラブ
ニュース」はパッチワーク
キルトをはじめ、刺しゅう、
ペイント、カントリークラフト、
ビーズなど、手芸材料・
用具を満載した通信販売の
カタログです。

（年4回発行A4判）

※書店ではお求めになれません。

通信販売カタログをご希望の方は…

下記の①～⑦をご明記の上、はがき、お電話、FAXのいずれかでお申込みください。カタログ
をご請求いただいてから約2週間程度でカタログ最新号をお手元までお届けいたします。
①資料請求コード631-907 ②氏名（フリガナ）③郵便番号 ④住所 ⑤電話番号 ⑥年齢
⑦ご覧いただいた本の書名

●はがきでのお申込み先
〒330-0062 さいたま市浦和区仲町3－12－6　J．S－1ビル4階
日本ヴォーグ社 受注センター　ヴォーグファミリークラブ カタログ係

●電話でのお申込み先
フリーダイヤル
0120-789-351
（受付時間：午前9：00～午後5：00日・祝日は休業）

●FAXでのお申込み先
フリーダイヤル
0120-923-147
（24時間受付）

楽しい手づくり
はじめましょう。

お問合せください。全国のお教室をご紹介します。

カリグラフィー
フレンズ・オブ・カリグラフィー・クラブ

書き手の温もりが
伝わるカリグラフィーで
生活を彩ってみませんか。

ギリシャ語で"美しい書きもの"という
意味をもつカリグラフィー。
日本のカリグラファー第一人者小田
原真喜子先生によるオリジナルカリ
キュラムで、イタリック体・ゴシック体・
カッパープレート体の3書体をわかり
やすく、楽しく学んでいただけます。
修了後はインストラクター資格を取
得することもできます。

tel.03-5261-5095
（10：00～17：00 土日祝休）

ポーセラーツ
磁器への上絵つけ

http://www.tezukuritown.com/

世界にひとつの
ティーセット
…あなたにも作れます！

ポーセラーツはシール感覚で使える
転写紙や上絵の具、金彩などを使い、
自由に絵付けを楽しめるホビーです。
絵心のない方でも本格的な作品を仕
上げることができる実用的なホビー。
資格取得もできる全国各地のポーセ
ラーツサロンをご紹介させていただ
いています。
奥深いポーセラーツの世界
…あなたも挑戦してみませんか？

0120-247-879
フリーダイヤル
（10：00～17：00 土日祝休）

押し花
ふしぎな花倶楽部

http://www.oshibana.com/hanakurabu/

自然との触れ合い、
創作の楽しみ、
仲間との語らい
とっておきの時間を
見つけてください。

人と自然の輪を作るふしぎな花倶楽
部のインストラクターが全国各地で
押し花教室を開催しております。
あなたも押し花を楽しく、分かりやす
く体験してみませんか。ふしぎな花倶
楽部のカリキュラムを修了すると、
インストラクターの資格を取得する
ことも可能です。

0120-247-879
フリーダイヤル
（10：00～17：00 土日祝休）

グラスアート
生活色彩クラフト

http://www.tezukuritown.com/glassart/

ガラスを切ることなく、
手軽に作ることができ、
仕上がりは素敵な
ステンドグラスさながら。

いろいろな生活シーンに彩りを添え
る「グラスアート」。
主な材料は接着テープ状に加工され
たリード（鉛）線と、日焼けしにくいカラ
ーフィルムです。ガラスを切ることが
ないので安全で簡単、それなのに仕
上がりはステンドグラスさながら。
日本グラスアート協会のカリキュラム
で、この新しいクラフトをご一緒に楽
しんでみませんか？

0120-247-879
フリーダイヤル
（10：00～17：00 土日祝休）

2005-AW-G